Línguas e Culturas Macro-Jê

FUNDAÇÃO UNIVERSIDADE DE BRASÍLIA

Reitor
Timothy Martin Mulholland

Vice-Reitor
Edgar Nobuo Mamiya

EDITORA UnB

Diretor
Henryk Siewierski

Diretor-Executivo
Alexandre Lima

Conselho Editorial

Beatriz de Freitas Salles
Dione Oliveira Moura
Henryk Siewierski
Jader Soares Marinho Filho
Lia Zanotta Machado
Maria José Moreira Serra da Silva
Paulo César Coelho Abrantes
Ricardo Silveira Bernardes
Suzete Venturelli

FINATEC
FUNDAÇÃO DE EMPREENDIMENTOS CIENTÍFICOS E TECNOLÓGICOS

FUNDAÇÃO DE EMPREENDIMENTOS CIENTÍFICOS E TECNOLÓGICOS – FINATEC
De 29/04/2004 a 28/04/2006

CONSELHO SUPERIOR
Presidente: Prof. Reinhardt A. Fuck

Conselheiros:
Prof. Carlos Alberto Bezerra Tomaz
Prof. Flamínio Levy Neto
Prof. George Raulino
Prof. Guilherme Sales Soares de Azevedo Melo
Prof. Jurandir Rodrigues de Souza
Prof. Kalil Skeff Neto
Prof. Márcio Martins Pimentel
Prof. Márcio Nunes Iorio Aranha Oliveira
Prof. Noraí Romeu Rocco
Prof. Roberto Francisco Bobenrieth Miserda
Prof. Sadek Crisóstomo Absi Alfaro

CONSELHO FISCAL
Presidente: Prof. Fernando Jorge Rodrigues Neves

Conselheiros:
Prof. André Pacheco de Assis – Titular
Prof. Ivan Marques de Toledo Camargo – Titular
Prof. José Imaña Encinas – Suplente
Prof. Luciano Mendes Bezerra – Suplente
Prof. Carlos Alberto Gurgel Veras – Suplente

DIRETORIA EXECUTIVA
Diretor Presidente: Prof. José Luiz Alves da Fontoura Rodrigues
Diretor Secretário: Prof. Paulo César de Morais
Diretor Financeiro: Prof. Geraldo Resende Boaventura

Línguas e Culturas Macro-Jê

Aryon Dall'Igna Rodrigues
Ana Suelly Arruda Câmara Cabral
Organizadores

Brasília, 2007

Equipe editorial
Rejane de Meneses · Supervisão editorial
Sonja Cavalcanti · Acompanhamento editorial
Ana Costa e Jupira Correa · Preparação de originais e revisão
Eugênio Felix Braga · Editoração eletrônica
Ivanise Oliveira de Brito · Capa
Elmano Rodrigues Pinheiro · Acompanhamento gráfico

Figura da capa: Bakororo e Itubori, dois heróis culturais Borór; extraída de I Boróro Orientali "Orarimugudoge" del Mato Grosso (Brasile) de D. Antônio Colbacchini. Turim, 1925.

> Este livro foi aprovado pelo Conselho Editorial da Universidade de Brasília, no âmbito do Programa de Fomento da **Fundação de Empreendimentos Científicos e Tecnológicos – FINATEC**, Edital 03/2004 – Auxílio à Publicação.

Copyright © 2007 by Finatec

Impresso no Brasil

Direitos exclusivos para esta edição:

Editora Universidade de Brasília
SCS Q. 02 – Bloco C – nº 78
Ed. OK – 1º andar
70302-907 – Brasília-DF
Tel: (61) 3035-4211
Fax: (61) 3035-4223
www.editora.unb.br
www.livrariauniversidade.unb.br
e-mail: direcao@editora.unb.br

Finatec – Universidade de Brasília
Campus Universitário Darcy Ribeiro
Ed. Finatec – Asa Norte
70910-900 – Brasília-DF
Tel: (61) 3348-0400 –
Fax: (61) 3307-3201
www.finatec.org.br
e-mail: finatec@finatec.org.br

Todos os direitos reservados. Nenhuma parte desta publicação poderá ser armazenada ou reproduzida por qualquer meio sem a autorização por escrito das Editoras.

Ficha catalográfica elaborada pela
Biblioteca Central da Universidade de Brasília

L 755   Línguas e culturas Macro-Jê / Aryon Dall'Igna Rodrigues e Ana Suelly Arruda Câmara Cabral (organizadores). – Brasília : Editora Universidade de Brasília : Finatec, 2007.
180 p.

ISBN 978-85-230-0856-7   Editora Universidade de Brasília
ISBN 978-85-85862-19-0   Finatec

1. Línguas e culturas indígenas. 2. Tronco lingüístico Macro-Jê. 3. Fonologia. 4. Gramática. 5. História. 6. Discurso. I. Rodrigues, Aryon Dall'Igna. II. Cabral, Ana Suelly Arruda Câmara.

CDU 7.067.2

Sumário

APRESENTAÇÃO, **7**

O PARENTESCO GENÉTICO DAS LÍNGUAS UMUTÍNA E BORÓRO, **9**
Aryon Dall'Igna Rodrigues

UMA AULA DE CHORO CERIMONIAL MẼBÊNGÔKRE, **19**
Vanessa Lea
Bêribêri Txukarramãe

SISTEMA FONOLÓGICO DO TIMBIRA APÃNIEKRÁ
(FONEMAS, SÍLABA E ACENTO), **45**
Flávia de Castro Alves

DISSIMILAÇÃO DE SONORIDADE EM BORÓRO: UMA ABORDAGEM
COM BASE NO PRINCÍPIO DO CONTORNO OBRIGATÓRIO, **57**
Adriana M. S. Viana

O ALONGAMENTO VOCÁLICO EM PYKOBYÊ: MOTIVAÇÕES
PROSÓDICAS E MORFOSSINTÁTICAS, **77**
Rosane de Sá Amado

SISTEMA VOCÁLICO E ESCRITA DO KAINGÁNG, **85**
Wilmar da Rocha D'Angelis

AS ORGANIZAÇÕES TRIÁDICAS EXISTEM? O CASO DOS IJOI KARAJÁ, **97**
Helena Moreira Cavalcanti-Schiel

A GUERRA COMO ELEMENTO CONSTITUTIVO DA SOCIALIDADE DOS JÊ MERIDIONAIS, **109**
Juracilda Veiga

A FLEXÃO NOMINAL EM UMUTÍNA, **127**
Stella Telles

A EXPRESSÃO DA NEGAÇÃO EM PANARÁ, **139**
Luciana Dourado

CONCORDÂNCIA DE NÚMERO EM KAINGÁNG: UM SISTEMA PARCIALMENTE ERGATIVO E PARCIALMENTE NOMINATIVO, **145**
Ludoviko dos Santos

OBSERVAÇÕES PRELIMINARES SOBRE O SISTEMA PRONOMINAL DA LÍNGUA RIKBÁKTSA, **153**
Léia de Jesus Silva
Sanderson de Oliveira

OS HERÓIS CIVILIZADORES NA COSMOLOGIA AKWEN-XERENTE, **163**
Edward Mantoanelli Luz

ATRAVÉS DO LÉXICO MACRO-JÊ: EM BUSCA DE COGNATOS, **175**
Aryon Dall'Igna Rodrigues
Ana Suelly Arruda Câmara Cabral

Apresentação

Este volume contém os textos revisados de trabalhos apresentados no 3º Encontro Macro-Jê, realizado na Universidade de Brasília de 3 a 5 de dezembro de 2003. A reunião foi promovida pelo Laboratório de Línguas Indígenas do Instituto de Letras com a colaboração do Departamento de Antropologia do Instituto de Ciências Humanas da UnB e da coordenação do grupo de trabalho sobre Línguas Indígenas da Anpoll. Congregou lingüistas e antropólogos que desenvolvem pesquisas sobre línguas e culturas de povos indígenas que têm em comum o pertencer ao complexo lingüístico Macro-Jê, propiciando assim uma aproximação desejável entre os dois campos de pesquisa. Nessa ocasião foi homenageado o professor Dr. Júlio César Melatti, autor de importante contribuição para o conhecimento do povo Krahô e de sua literatura oral.

Esperamos que esta publicação contribua para consolidar a série de encontros Macro-Jê, estimulando nossos colegas, tanto da lingüística como da antropologia, a promover periodicamente novas oportunidades de discussão e interação.

Por consenso de todos os autores, o presente volume é dedicado à memória de Adriana Soares Viana, jovem pesquisadora do Laboratório de Línguas Indígenas e estudante de doutorado no Programa de Pós-Graduação em Lingüística da UnB, a qual teve sua vida interrompida por um acidente rodoviário pouco depois do 3º Macro-Jê, no dia 22 de dezembro de 2003, apenas duas semanas após o término de nosso encontro. Adriana vinha trabalhando com duas línguas do tronco Macro-Jê, o Karajá, que foi objeto de sua dissertação de mestrado, e o Boróro, a que se dedicava na sua fase de doutorado. Com o infausto acidente perdemos uma das mais promissoras estudiosas das línguas indígenas brasileiras.

Aryon Dall'Igna Rodrigues
Ana Suelly Arruda Câmara Cabral
(*Organizadores*)

O PARENTESCO GENÉTICO DAS LÍNGUAS UMUTÍNA E BORÓRO

Aryon Dall'Igna Rodrigues
(Laboratório de Línguas Indígenas, IL, UnB)

Pouco depois da publicação do "vocabulário dos índios Umotina" pelo etnólogo Harald Schultz, em 1952 (*Journal de la Société des Américanistes de Paris*, 41, p. 81-137), comparei esse vocabulário com os dados lexicais da língua Boróro contidos na obra *Os Boróros orientais*, de A. Colbacchini e C. Albisetti (São Paulo, 1942), para procurar esclarecer uma questão que por carta me havia levantado Schultz: se as semelhanças entre as duas línguas eram devidas a contato ou a origem comum. O resultado deixou claro que se trata de parentesco genético, portanto de origem comum. Comuniquei esse resultado e as comparações feitas, em carta que enviei a Schultz, em 1954, e que este transcreveu em sua monografia etnográfica sobre os Umutína, publicada em 1962 (*Revista do Museu Paulista*, n. s. v. 13, p. 75-313). Como esses dados ficaram praticamente desconhecidos dos lingüistas, aproveito a oportunidade deste encontro, em que se reúnem lingüistas interessados nas línguas do tronco Macro-Jê, para reapresentar aquela comparação, dando uma nova organização à apresentação dos dados, tomando em consideração novos elementos que se tornaram disponíveis tanto sobre o Boróro como sobre o Umutína e utilizando uma transcrição mais técnica do que a que foi possível na publicação feita por Schultz em 1962.

As principais contribuições que apareceram posteriormente para o conhecimento das duas línguas foram, para o Boróro, a grande *Enciclopédia Boróro*, organizada por César Albisetti e Ângelo J. Venturelli (3 v., Campo Grande, 1962, 1969 e 1976), a *Grammar of Boróro* por Thomas Crowell (tese de doutorado não publicada, Cornell University, 1979) e *Pequeno dicionário Boróro-Português* (Campo Grande, 1997) por G. Ochôa e, para o Umutína, Stella Telles Pereira Lima (dissertação de mestrado não publicada, Universidade Federal de Pernambuco, 1995).

Tomando em consideração esses novos trabalhos, foram revistos os dados já comparados das duas línguas e empreendida uma uniformização das respectivas transcrições. Quanto ao Boróro, substituí a transcrição antes utilizada, que foi a de Colbacchini e Albisetti, 1942, por uma transcrição ligeiramente mais técnica, tomando em consideração a de Albisetti e Venturelli, 1962, que introduziu a distinção entre os fonemas vocálicos /u/ e /ɨ/, mas deixei de registrar consoantes longas, cuja duração fonética não é distintiva, como resultou da análise de Crowell (1979). Quanto ao Umutína, embora Lima (1995) tenha proposto considerar [b] e [m] como um só fonema /m/ e também [r] e [h] como /r/, vou tratar os dois elementos de cada um desses pares como fonemas distintos. Faço assim por duas razões: (a) os dados de que dispôs Lima em seu esforço de salvamento da memória lingüística do último falante desta língua eram muito limitados e (b) cada um dos fones em questão corresponde a fonemas distintos em Boróro.

Na revisão dos dados comparados, que provêm essencialmente do vocabulário de Schultz, foram considerados também, para o Umutína, os que foram registrados por Max Schmidt em 1928 (Schmidt 1941) e os que figuram na dissertação de Lima (1995). Foram identificados em torno de 130 pares de palavras que se correspondem fonética e semanticamente e que são, portanto, mais provavelmente cognatas. Os campos semânticos a que pertencem essas palavras distribuem-se entre os conceitos ditos não culturais e os conceitos ligados ao ambiente natural. Os primeiros – elementos da natureza, partes do corpo e partes das plantas, qualidades, estados e ações mais comuns – são os que melhor permitem detectar o parentesco genético, pois fazem referência a conceitos universais, necessariamente presentes em qualquer sociedade humana e que, por isso, são menos afetados pelo contacto com outras línguas. Os conceitos vinculados ao ambiente são sobretudo os animais e as plantas, cujos nomes semelhantes ou idênticos poderiam ser produto de empréstimo de uma língua à outra se as palavras para os conceitos universais não fossem semelhantes e se as mesmas correspondências fonéticas não unissem os dois conjuntos.

Os fonemas das duas línguas

Umutína					Boróro			
p	t		k		p	t	tʃ	k
b					b	d	dʒ	g
		ʃ	h					
	z	ʒ						
m	n				m	n		
w	ɾ, l	j			w	ɾ		j
i	ɨ	u			i	ɨ	u	
e		o			e	ə	o	
ɛ	a	ɔ					a	

Em Boróro o acento de intensidade não é distintivo e recai sistematicamente sobre a penúltima sílaba de cada palavra. Nos dados do Umutína tanto Schultz, como Schmidt e Lima marcaram com acento agudo as sílabas que perceberam como mais intensas, porém suas marcações freqüentemente não coincidem, embora ocorram predominantemente na última sílaba das palavras. Como as diferenças de acento aparentemente não condicionam as diferenças fonéticas observadas nas correspondências entre os fonemas segmentais das duas línguas, optei por não marcar esse acento nas palavras do Umutína aqui utilizadas.

Correspondências fonéticas

Vogais:

Quase todas as vogais se correspondem perfeitamente nas duas línguas, salvo seis pares de palavras em que U *o* corresponde a B *u*:
U *u* =   B *u*: 3, 9, 11, 20, 25, 39, 45, 59, 70, 75, 76, 77, 78, 79, 81, 84, 90, 108, 113, 119
U *o* =   B *u*: 4, 6, 35, 64, 103, 119

O Umutína, que não tem a vogal ɨ, responde em alguns casos com *i* (em um caso com *e*), sobretudo com consoantes alveolares, mas em outros casos com *u*, sobretudo com consoantes labiais e velares, ao ɨ do Boróro:

U i =   i: 10, 12, 13, 15, 27, 31, 38, 40, 42, 45, 50, 51, 54, 57, 58, 62, 65, 66, 69, 71, 73, 85, 86, 89, 99, 103, 106, 118, 121, 123
U i, e = B ɨ: 8, 72, 114, 117
U u = B ɨ: 30, 39?, 44, 109
U e = B e: 23, 25, 30, 33, 37, 51, 55, 56, 58, 63, 73, 74, 76, 80, 84, 92, 109, 115, 125
U o = B o: 1, 3, 7, 8, 12, 14, 16, 18, 19, 21, 22, 32, 34, 36, 42, 43, 44, 46, 48, 53, 60, 61, 66, 69, 77, 78, 84, 87, 88, 89, 93, 95, 97, 98, 99, 107, 110, 111, 116, 120, 121, 122, 125, 126
U o = B u: 4, 5, 6, 35, 63, 64, 103, 113, 119
U a = B a: 2, 4, 9?, 10, 11, 17, 19, 20, 24, 26, 27, 28, 29, 36, 38, 41, 42, 43, 48, 49, 52, 54, 55, 57, 59, 60, 62, 63, 65, 67, 68, 72, 73, 74, 80, 81, 82, 83, 84, 85, 88, 89, 90, 93, 96, 100, 104, 111, 112, 114, 117, 120, 122, 124

Consoantes:

As consoantes labiais das duas línguas se correspondem sistematicamente:

U p = B p: 1, 21, 23, 40, 43, 46, 48, 51, 52, 59, 60, 65, 78, 79, 89, 105, 112, 116, 117, 125, 126
U b = B b: 3, 4, 6, 21, 22, 27, 29, 30, 31, 42, 43, 61, 64, 83, 92, 93, 95
U m = B m: 13, 14, 55, 62, 67, 68, 70, 74, 88, 100, 101, 109, 123
(três casos de U m = B b: 37, 44, 114).

O Umutína não tem oclusivas alveolares nem velares sonoras e as suas surdas correspondem tanto às surdas como às sonoras do Boróro:

U t =   B t: 12, 14, 16, 22, 34, 44, 47, 61, 62, 64, 70, 73, 81, 84, 90, 93, 95, 107, 114
U t =   B d: 5, 18, 66, 96, 99, 103, 104?, 111, 112, 113, 116, 120
U k = B k: 3, 18, 35, 39, 45, 49, 50, 56, 67, 68, 69, 80, 83, 85, 96, 102, 103, 104, 106, 108, 122
U k = B g: 9?, 37, 42, 46, 54, 57, 72, 81, 83?, 84, 90, 98?, 101, 103, 105, 117

Em Umutína, após *i* tem-se a fricativa ʃ em vez de *t* e de *d*:

U ʃ =   B t: 11
U ʃ =   B d: 8, 62a, 69, 117

Há velares sonoras e surdas do Boróro que correspondem a zero (em posição inicial, também *h* ou *x*) em Umutína; nesses casos, as vogais que nessa língua teriam ficado contíguas podem aparecer fundidas em uma só:
U ∅, *h*-, *x*- = B *g*: 2, 5, 45, 47, 60, 62, 64, 81, 85?
U ∅ = B *k*: 9, 24, 62a, 110, 111

À consoante africada álveo-palatal sonora dʒ do Boróro correspondem em Umutína (a) a fricativa alveolar sonora z (diante de vogais não anteriores), (b) a fricativa álveo-palatal sonora ʒ e (c) a aproximante palatal *j*:
U *z* = B *dʒ*: 5, 7, 8, 33, 81, 90, 107
U ʒ = B *dʒ*: 53, 76
U *j* = B *dʒ*: 122

Algumas ocorrências de *z* em Umutína correspondem a zero em Boróro:
U *z* = B ∅: 17?, 17a, 33

O Umutína tem uma consoante lateral alveolar, além de um *flap* não lateral, *l* e ɾ, respectivamente, e a ambos corresponde o flap do Boróro:
U ɾ =   B ɾ: 2, 4, 5, 7, 8, 9, 10, 12, 15, 30, 31, 34, 54, 63, 65, 71, 73, 76, 77, 78, 80, 84, 89, 94, 107, 114, 115, 110, 121, 122
U l =   B ɾ: 11, 20, 26, 28, 37, 38, 48, 75, 82, 120

Léxico comparado por categorias e por campos semânticos

(Os dados lexicais são em sua maioria os registrados por Max Schmidt; quando os registros de Schultz e de Lima divergem desses, são incluídos entre parênteses precedidos pelas letras S e L, respectivamente.)

Nomes

Elementos da natureza

(1) água, rio: U po, B po
(2) areia: U xoare (S xuarí), B kɨgarɨ
(3) campo: U boku (S boku), B boku

(4) céu: U baro-to (L barɔ-tɔ, S baru 'sol'), B baru
(5) cinza: U zorotu (S zorutu), B dʒorugudu
(6) chuva: U bo-ino (L bwenɔ, S bo'ina), B bu
(7) fogo: U zoru (L zoru, S zoru), B dʒorɨ
(8) fumaça: U zorixixí (S zoritʃitʃi), B dʒorɨdɨdɨ
(9) lagoa: U urukwa, B kuruga
(10) lua: U ari (L ari, S ali), B ari
(11) mato: U ixula, B itura
(12) pedra, morro: U tori (L tɔri, S ta'urí), B tori
(13) sol: U mini (L mejni, S meni 'céu'), B meri
(14) terra: U moto (S muto), B moto

PARTES DO CORPO E SECREÇÕES

(15) asa: U ixuda, B ikodo
(16) bico: U oto (S otoro), B oto
(17) boca: U o-zá, ɔza, **ozá**, B ia
(17a) cabelos: U azo (S azu), B ao
(18) carne: U koty-ka, (S katika), B kodɨ
(19) coração: U uapo, (S oapu), B uabo
(20) costela: U jula-ka (ʒudaka), B dʒura
(21) coxa: U bopo-to, B bopo-na
(22) escama: U boto-ka, B boto
(23) excremento: U pe, B pe
(24) fígado: Ua (L a, S a), B aka
(25) língua: U eru-kwa (L erukwa, S eruga), B eru
(26) mão: U u-jila (S aʒida), B i-k-era 'minha m.', a-k-era 'tua m.', i-era 'm. dele'
(27) orelha: U bia, (L *bja*, S mbiá), B bia
(28) osso: U la-ká, (S daka), B ra
(29) ovo: U ba (L *ba*, S mba), B ba
(30) pé: U bure (S ambure), B bɨre
(31) pele: U biri-ka (S birika), B biri
(32) rabo: Uo (S o), B o
(33) rosto: U aze ('teu r.') (L ize 'm. face'), B ae 'teu r.,' ie., 'meu r.'
(34) saliva: U otoru-ta (S otoru), B otoguru
(35) sangue: U ko-kwa, B ku
(36) unha da mão: U hino (L inɔ 'm. unha', S ina), B ino-gi

Partes das plantas e secreções

(37) breu: U melaku, menaku, B berago
(38) espiga: U ila-ka, B ira
(39) flor: U iku (S iku), B ku, okɨ
(40) pau: U ipu, B ipo
(41) semente: U a-ka (S aka), B a

Artefatos

(42) arco: U boika (S bo'ika), B boiga
(43) chocalho: U bapo (S bapu 'porongo de baile'), B bapo
(44) chocalho de cascos/de unhas de queixada: U muto-mbure, B bɨto re
(45) corda: U boiku, B bɨkigu
(46) cuia: U poka (L pɔka, S poka), B pogoga
(47) flecha: U to (S itʃo), B tɨgo
(48) machado: U palo (L ipalo 'meu m.', S apádo), B paro
(49) pilão: U kayá-kopo (S kazokupo), B kaia

Animais
Mamíferos

(50) anta: U kui (S ko'i), B ki
(51) ariranha: U ipe-kozitabu (S ipe), B ipie
(52) bugio: U pajio (S payu), B pai
(53) caitetu: U joa (S ʒoa), B dʒoi
(54) cão: U arikau (S harika'u), B arigao
(55) cotia: U mẽa (S mea), B mea
(56) morcego: U kie (S kié), B ke
(57) onça parda: U aiku, aiko (L ajko, S a'iko), B aigo
(58) ouriço: U hibe (L hibe), B ive
(59) paca: U apu (S hapu), B apu
(60) tamanduá-mirim: U apo (S apo), B apogo
(61) tatu-bola: U boto-mbure (S botori), B botowɨ 't. canastra'

Aves

(62) anhuma: U tami 'a. preta', B tamigi 'a. do mato'
(62a) arara verde: L hujʃo, B kuido

(63) arara vermelha: U a-lapore (S alapure), B nabure
(64) bem-te-vi: U boto-doze, B butugu
(65) ema: U pãrí (L parwaza), B pari
(66) inambu: U diboto, B riwodo
(67) macauã: U makau, B makao
(68) martim-pescador: B katamã, B kadomo
(69) periquito: U kixo (S kiso), B kido
(70) pomba: U umitu, mitu, B metugo

Répteis e batráquios

(71) camaleão: U hiri-be, heribe, B irui
(72) cobra: U ebaki (L εbaki, S embaki), B awagɨ
(73) jararacuçu: U etari, B etari
(74) lagarto: U amema, B amema
(75) sapo: U du, lu, B ru
(76) sucuri: U ʒure (L ʒurε, S ʒure), B dʒure

Peixes e moluscos

(77) caracol: U ruvo (L luo), B ruwo
(78) jaú: U poru (S poru), B poru
(79) pacu: U pupu (S popo), B pobu
(80) peixe: U hare (L hare, S hare), B karo, pl. kare
(81) piaba-açu: U zatuku (S zatuku), B dʒatugugo
(82) piraputanga: U alare-kore (L alɔrukɔre, S alarikore), B ararɨ

Insetos

(83) aranha: U bakayukore (L bakajokɔrε 'a. pequena'), B bakaigo
(84) mutuca: U o-tokuáre (S otokali), B toguare

Plantas

(85) algodão: U akia-mane 'algodoeiro', akio-pu 'fio de a.' (L hakεamani 'algodão', S hakia-mani), B akigu-ika 'algodoeiro'
(86) árvore: U -i, B i
(87) babaçu, coco de: U no (L nojʃuka, S no 'aguasú'), B no
(88) buriti, coco de: U mano (S manazokua 'buriti'), B mano

(89) cabaça: U poari, B poari
(90) cajá: U zatuku, B dʒatugo
(91) jenipapeiro: U bei, B bie-i
(92) jenipapo: U be (S be), B bie
(93) mangaba: U bato-rukwa, B bato
(94) piúva: U huri, B iru 'flor de piúva amarela', iru-í 'piúva amarela'
(95) siriva: U botodo-kwa 'coco de s.', B botora 'pupunha'
(96) taquara: U kata-pe, B kado
(97) tucum, coco de: U bo, boyu 'broto de t.', B boio 'coco de t.'
(98) urucu: U nonokwa (L nolukwa), B nonogo

TERMOS DE PARENTESCO

(99) cunhado: U inoto 'meu c.', B i-n-odowɨ 'meu c.'
(100) irmão mais velho: U a-mana (L amala, S amana), B mana
(101) mãe: U mako (S imako), B mɨga

QUALIDADES

(102) amarelo: U iku, B ekɨ
(103) branco: U kikoto (L akɨkoto), B kigadu
(104) frio: U aketo (S bakieto, baketo), B akɨ, akodo
(105) mau: U pikí-na (L pikɛna 'feio', S pekina), B pega
(106) seco: U ki, kyi, B ki

AÇÕES E ESTADOS

(107) acender fogo: U zorututo, B dʒorɨto
(108) beber: U kutu (L ikutu 'eu b.', S kuta, akutu), B kudu
(109) caminhar: U a-menu (L i-minu 'andar'), B merɨ
(110) comer: U ho (S iho 'comamos!'), B ko
(111) cortar: U hato (L hatɔ 'quebrar'), B kado
(112) deitado, estar: U pata, B pado
(113) dormir: U-notu (L unuta, S unutu, unuta), B nudu
(114) falar: U matare, B batarɨ
(115) ferver: U bere, B bere
(116) furar: U podoto (L polotɔ), B porodo
(117) medo: U pakixi, B pagɨdɨ
(118) morrer: U bi-a (S bia), B bi; bi-, bi-to 'matar'

(119) nadar: U oru-pu, B kuru
(120) narrar: U alalotu, B readodo
(121) sono: U u-nori, B nori
(122) tossir: U koya-kore, B kodʒa-ri

Outros

(123) eu: U imi (L imi, S imi), B imi
(124) tu: U ame, a- (S ami, a-), B a-
(125) dois: U popie (L pupi, pupe), B pobe
(126) furo: U podo, B poro.

Uma aula de choro cerimonial Mẽbêngôkre

Vanessa Lea
Bêribêri Txukarramãe

Introdução

Recentemente, alguém perguntou o que mais havia me impressionado na minha convivência com os Mẽbêngôkre.[1] Respondi, sem hesitação, que foi o fenômeno do choro e da autoflagelação das mulheres. Testemunhei tais práticas em inúmeras ocasiões, ouvindo algo indecifrável a meus ouvidos. Inicia-se com uma mulher, mas é tão contagiante que, em seguida, outras mulheres passam de ouvintes a participantes.

Em um primeiro texto sobre o choro cerimonial e a autoflagelação praticada pelas mulheres Mẽbêngôkre (LEA, 2004), concentrei-me em aspectos performativos. No presente trabalho, tentarei tornar inteligível a algazarra inquietante que o choro cerimonial representa para o ouvinte não-indígena.[2]

Todos sabemos como a linguagem indígena é infantilizada pelas traduções que são feitas, na imprensa por exemplo, em decorrência das dificuldades que qualquer um experimenta ao expressar-se numa língua que não domina bem. Ao iniciar o trabalho sobre esse texto, fiquei me perguntando quantas

---

[1] A acentuação que utilizo para escrever palavras em mẽbêngôkre muda de uma publicação a outra. Tive inúmeros problemas editoriais por causa do uso de acentos ao escrever palavras na língua mẽbêngôkre. Uma publicação (LEA, 2002) omitiu não apenas os acentos que diferem da acentuação na língua portuguesa; as vogais acentuadas desapareceram juntas.

[2] Ao apresentar esse capítulo na UnB, reproduzi (num gravador) trechos da narrativa de Bêribêri, além do excerto de uma sessão de choro a que eu havia assistido. O livro *Native South American Discourse*, organizado por Scherzer e Urban, foi publicado em Berlin (em 1986) junto com uma fita cassete que permite ouvir os discursos; é o único exemplo que conheço. O ideal seria filmá-los, como Bruna Franchetto está fazendo atualmente na sua pesquisa com os Kuikúro (conforme constatei pessoalmente). Na época das minhas gravações, bastava lidar com o gravador e máquina fotográfica; não tive recursos (financeiros ou humanos) para filmar também.

vezes tivemos a oportunidade de ouvir o que uma mulher indígena brasileira tem a dizer, nas suas próprias palavras.

Nas atuais condições de financiamento de pesquisa, dos prazos mais curtos para a realização do doutoramento, e da desconfiança demonstrada pelas populações indígenas em relação ao trabalho do antropólogo, torna-se menos atraente a opção por imersão numa dessas sociedades com o intuito de aprender a língua. Cada vez mais etnólogos estão optando por estudar as associações indígenas, algo que não implica compartilhar o cotidiano da etnia pesquisada. Do meu ponto de vista, reduzir os Mẽbêngôkre às suas associações os empobrece tanto quanto enfocar a realidade brasileira apenas pela ótica de seus partidos políticos.

A interdisciplinaridade está cada vez mais em voga. No entanto, minha tentativa de decifrar uma narrativa indígena me mostrou quanto a antropologia social e a lingüística mantêm suas respectivas especificidades. Não almejo invadir o terreno dos lingüistas, e não tenho os conhecimentos necessários para fazer um estudo de fonologia, morfologia, ou sintaxe. Resolvi retomar a transcrição original do texto, ao cotejar a narrativa de Bêribêri na língua mẽbêngôkre com a edição do texto em português, preparada para publicação na década de noventa.[3] Embora inteligível da perspectiva dos caraíba,[4] a perda de nuances, ao disponibilizar apenas uma tradução livre, levou-me a batalhar com o texto em mẽbêngôkre. E para o não-lingüista, trata-se de um verdadeiro embate.[5]

---

[3] O texto no qual se baseia este capítulo foi editado originalmente para um livro intitulado *Visões indígenas*, que estava sendo organizado, em 1993, por Nádia Farage e Beto Ricardo, do Centro Ecumênico de Documentação e Informação (Cedi). Desde o início, havia me posicionado contra o corte da transcrição em mẽbêngôkre, mas os editores argumentaram que interessava apenas aos especialistas, que são poucos. O projeto do livro acabou sendo abandonado por falta de financiamento. Não se tratando de terra, saúde, nem educação, não era considerado merecedor de recursos pelas agências internacionais. Uma década mais tarde, o Terceiro Encontro sobre línguas Jê me pareceu oportuno para desengavetar o texto.

[4] Para a atual publicação, preferi o termo caraíba a "branco", "euro-americano", "ocidental" ou "não-indio". Resolvi não usar o termo kubẽ porque significa "estrangeiro" em geral. Os próprios Mẽtyktire (o subgrupo com o qual trabalhei) usam o termo tupi "caraíba", quando falam em português.

[5] O fato de ter tantas dificuldades com a transcrição da língua merece algum comentário, depois de ter organizado material para um dicionário da língua Mẽbêngôkre durante vários anos. As referências a essa pesquisa podem ser encontradas na bibliografia, ver Projeto de Dicionário Mẽbêngôkre. Provocou inúmeras intrigas que não cabe analisar aqui. Meu "pai" Ropni se opôs à pesquisa, comparando-a ao saque de dados feito pelo Summer Institute of Linguistics (SIL), embora (ou justamente porque) tivesse o apoio de seu sobrinho, Mẽkarõ. Após a saída do Brasil de Andrés Salanova e Maria Amélia Reis Silva (os lingüistas trabalhando no projeto) fiquei com apenas um pequeno léxico impresso em 1999 (e outra impressão menor ainda de 2001), uma situação que pretendo reverter futuramente. De qualquer maneira, o impedimento à continuação da pesquisa significou que a checagem e correção do volumoso material já existente não puderam ser completadas, e inúmeras dúvidas não foram sanadas.

Apenas dois Mẽtyktire sabiam escrever (e apenas em português) quando iniciei minha pesquisa, em 1978. Atualmente, estão se tornando competentes na redação em português e em mẽbêngôkre, e o ideal seria delegar a eles a tarefa da transcrição de seus discursos e seus mitos. Caberia ao antropólogo ou lingüista apenas incentivar e valorizar tais atividades. Os velhos reclamam que os jovens não se interessam pelos conhecimentos dos antigos. É inegável que a tecnologia do mundo industrializado serve como uma isca para atrair os jovens. Bastava gravar um velho narrando mitos para atrair uma platéia de jovens. É como se a atenção dada aos velhos pelo pesquisador contribuísse para sua valorização.

No curso para a formação de monitores bilíngües do qual participei em 2002, em que os alunos eram exclusivamente do sexo masculino, fiquei impressionada com a adoção pelos Mẽbêngôkre dos preconceitos dos caraíba. Os alunos afirmaram para a professora de história que antigamente não usavam roupa (como se suas magníficas pinturas geométricas não fossem seu equivalente), que não tinham educação (como se escola fosse sinônimo de aprendizagem), e assim por diante.

Transcrição e tradução da entrevista

O título do capítulo é bem fundado, na medida em que a narrativa surgiu no contexto de uma entrevista, gravada com a irmã do meu "pai", durante o qual falei muito pouco. Para apreciar o texto, minhas perguntas são desinteressantes, mas sua omissão descontextualizaria a fala de Bêribêri. Na transcrição original, no campo, as perguntas foram omitidas, mas o encadeamento da narrativa ficou artificial. Ao amputar as perguntas, o leitor não tem como saber até que ponto elas elicitaram as explicações nos termos dados por minha interlocutora.

Bêribêri, com humor e ironia, me instruiu a chorar e bater minha cabeça ao retornar ao Rio de Janeiro, onde morava naquela época. Em razão da troca de namorados no decorrer da pesquisa, me falou: "Faça assim para um de seus maridos" [linha 48][6] usando um termo triádico "*arikràm*", que significa "teu marido que é meu *tabdjwỳ*" (sobrinho ou neto). Tais termos foram o tema da minha comunicação no Segundo Encontro Macro-Jê, portanto, não vou me deter nesse assunto aqui (LEA, 2004).

---

[6] Adoto esta convenção para localizar uma determinada linha do texto (em anexo). Cito uma instância daquilo sendo analisado, o que não significa a inexistência de outros exemplos no mesmo texto.

Foi inevitável editar o texto e a tradução que eu havia anotado no campo. A entrevista com Bêribêri durou uns 14 minutos. Em anexo, apresento aproximadamente a metade da transcrição. Embora tenha trabalhado sobre a tradução no campo e transcrito o texto inteiro, traduzi aqui apenas os trechos que pareciam não repetitivos. A análise de cada partícula foi feita somente para a atual publicação. Por volta de 1998, modifiquei a ortografia que eu havia utilizado até então, para acompanhar a usada atualmente pelos Mẽtyktire e Mẽkrãgnoti, ou seja, os subgrupos Mẽbêngôkre que vivem a oeste do rio Xingu, nos estados de Mato Grosso e Pará. Minha ortografia, como aquela dos Mẽtyktire, baseia-se naquela desenvolvida pelo Summer Institute of Linguistics (SIL).[7]

Quem ajuda a transcrever uma fita nunca consegue reproduzir o texto *ipsis litteris*. O tradutor, Mekarõ, adicionava palavras consideradas necessárias em termos gramaticais (como, por exemplo, o parêntese na linha I). É corriqueiro este tipo de "censura" ao transcrever uma narrativa com um Mẽbêngôkre. Posteriormente (em 1995), fiz uma revisão (com Puju), incluindo pequenos trechos omitidos por Mekarõ.

A narrativa

A narrativa de Bêribêri contém dois focos: há demonstrações das fórmulas que compõem a linguagem do choro cerimonial e há uma exposição sobre seus motivos e os procedimentos referentes à *performance* que o acompanha. As fórmulas são bastante repetitivas, em parte pelos esclarecimentos prestados a mim. Conseqüentemente, foi possível diminuir o texto sem perdas significativas.

---

[7] A mesma afirmação vale para o estudo da língua em termos gerais. Os únicos materiais disponíveis na época da pesquisa eram aqueles do SIL (além de algum material dos missionários Earl Trapp e Horace Banner). Várias modificações foram necessárias, decorrentes do fato de ter usado uma versão antiga do programa *Word*, a primeira vez que digitei o texto. O ideal seria disponibilizar (ao pesquisador interessado) uma cópia *escaneada* da transcrição original, além do texto bilíngüe apresentado aqui. Enfrentei problemas de segmentação e de nasalização. Por exemplo, na época em que a entrevista foi gravada, ouvia a vogal *ẽ* como *en*.
E até hoje tenho algumas dificuldades com o contraste entre a série de vogais orais médias e baixas (especialmente no meio das palavras), e com nasalização perto de consoantes nasais. Seria uma perda de tempo me deter nesses problemas aqui. Evidentemente são fundamentais, mas preciso delegar sua resolução aos lingüistas. Certamente revelarão outras questões ignoradas por mim. Tenho muito material transcrito que gostaria de aproveitar melhor, sem me transformar em lingüista, e sem poder viver no campo tempo suficiente para sanar as lacunas que me permitiriam dominar a língua mẽbêngôkre como "domino" o português.

A explicação de motivos é particularmente interessante, porque demonstra o orgulho de Bêribêri por pertencer a uma sociedade que sabe honrar seus mortos com a arte do "choro bonito" (*màrỳ metx*), que se originou no tempo mítico Mẽbêngôkre. Ironicamente, a prática de autoflagelação, de que Bêribêri tanto se orgulha, está sendo reprimida pelos homens atualmente, de acordo com os conselhos dos caraíba, intermediados pelos homens Mẽbêngôkre.

É interessante comparar a oratória masculina com o choro feminino que é executado num tom falsete, estridente. Os homens pontuam sua fala com contrações rápidas do diafragma. Urban (1988, p. 390) considera inspirações vozeadas sintomáticas de choro ou, pelo menos, de envolvimento emocional intensificado ao nível transcultural. Tal afirmação não se aplica aos Mẽbêngôkre, porque a forma padronizada da afirmativa "sim", para as mulheres, é uma inalação vozeada. Os homens dizem *tam*.

Gênero e os termos de choro

Em diversas ocasiões, fui comparada à missionária Micky Stout, do SIL, que cometia o mesmo pecado de usar a forma masculina em vez da feminina. Por exemplo, eu costumava ser censurada por usar a forma masculina (*bêri be*), em vez da forma feminina (*bêri tukỳ*)[8] de uma exclamação que poderia ser glosada como "viu? / está vendo?".[9]

A reiteração de gênero, ou seja, da dicotomia entre masculino e feminino, pode ser constatada na tabela dos termos de choro (em anexo). Esse contraste entre as formas de fala masculina e feminina é reconhecido como uma característica das línguas tupi, mas (com a exceção do karajá, macro-jê) foi pouco analisado em relação às línguas jê.

A tabela dos termos de choro evidencia a separação sistemática das formas usadas pelas mulheres e pelos homens. A forma feminina geralmente começa com *Aj*. Parece-me que o marcador de primeira pessoa *i-*, às vezes fica contraído junto, ou seja, *Aj i-* se torna *Aj*. A maioria dos termos usados pelos homens contém o sufixo *ri*, cujo significado desconheço.[10] O primeiro termo na tabela, *aj-imupudjwỳ* para falantes femininas e *imàjpudjwỳri* para falantes masculinos, exemplifica outro caminho para análise, a que falta espaço para aprofundar aqui. Esse termo de choro denota pessoas de ambos os sexos,

---

[8] Na palavra *tukỳ*, a ênfase cai na primeira sílaba.
[9] Outro exemplo citado por Jefferson (1989, p. 15) é a distinção entre a forma masculina (*aj mã*) e a feminina (*anũ mã*) de responder a alguém que se despede; uma glosa seria "pode ir".
[10] Em outros contextos, o sufixo *–ri* poderia ser glosado como "enquanto", um exemplo hipotético seria: "enquanto meu pai estava vivo" *ibam tiniri* (meu pai vivo-enquanto).

enquanto nos termos básicos de referência e nos vocativos as mesmas pessoas são designadas por termos separados. Ou seja, *kwatỳj* é usado para se referir à irmã do pai e às avós (*tujwa* na forma vocativa), e *nhênget* é usado para se referir ao irmão da mãe e aos avôs (*ngetwa* na forma vocativa). Onze termos de choro ocorreram no decorrer da entrevista com Bêribêri; os oito termos restantes foram obtidos posteriormente.

Os homens usam os termos de choro apenas de forma exclamatória, por exemplo: "Ó meu filho!", *Imàjkakrari!*. As mulheres usam os termos dessa forma, mas também na segunda pessoa, e ao falar com um interlocutor para se referir a uma terceira pessoa. Seguem alguns exemplos extraídos da narrativa de Bêribêri:

Tabela mostrando que o emprego dos termos de choro não se limita apenas à forma: "meu/ minha..."

Termo de choro	Glosa
Itàmỳ djwỳ	meu *tabdjwỳ* (sobrinho ou neto)
Atàmỳ djwỳ	teu *tabdjwỳ*
ba ibê ajũrudjwàre	sou sua mãe
ba ibê amupudjwàre	sou sua *kwatỳj* (tia paterna ou avó)

Os termos de choro distinguem nitidamente entre, de um lado, o irmão primogênito (*kutewa*), juntamente com os que nascem no meio (*konetã*), versus os/as caçulas (*kutapure*).[11] São os primogênitos que transformam seus pais em adultos, ou, de uma perspectiva stratherniana,[12] são os filhos que criam o casal. Fora do contexto de um determinado ritual (Bemp), não há uma cerimônia de casamento, e Turner (1966) menciona que, na época da sua pesquisa, as pessoas negavam que estavam casadas antes do nascimento de um filho/a. Os primogênitos e os filhos do meio têm mais chances de serem honrados numa cerimônia para a confirmação de seus nomes. Os caçulas (de ambos os sexos) são uma espécie de fim de linha, marcando o esgotamento dos poderes procriadores de seus pais, junto com seu acervo de nomes pessoais e prerrogativas herdáveis.

Outra questão suscitada pela terminologia de parentesco (no que diz respeito à narrativa) é que a tradução livre se choca com o fato de que diversos termos têm mais do que uma glosa em português (ou inglês). Os Mẽbêngôkre

---

[11] Essa distinção, referente à ordem de nascimento, é destacada na maioria dos termos básicos; tal informação foi omitida da tabela dos termos de parentesco apresentado aqui para simplificá-la.
[12] Veja, por exemplo, Strathern 1995. Lamentavelmente, trata-se de uma tradução mal feita de um manuscrito de 1992: *Needing fathers, needing mothers*.

ficaram bravos comigo no curso para monitores, realizado em 2002, quando argumentei que o antropólogo, ao ensinar parentesco, inicia a tarefa descartando termos como "primo", "sobrinho", "avó", "tio", etc. Em outras palavras, o antropólogo precisa convencer seus alunos que tais termos não são categorias universais. Os Mẽbêngôkre interpretaram essa afirmação como uma recusa de explicar o equivalente em português.

Para não comprometer a fluência de uma tradução livre, é conveniente optar por apenas uma das múltiplas designações de um determinado termo. Por exemplo, *tabdjwỳ* é usado pelos homens e pelas mulheres para designar os netos e netas. Outra glosa é "sobrinho", mas não corresponde ao termo "sobrinho" em português. Os filhos/as do irmão ou irmã do mesmo gênero que Ego (ou o locutor) são classificados como filhos (*kra*); o termo *tabdjwỳ* designa os filhos/as do germano/a do sexo oposto do locutor/a. Ou seja, para mim, como mulher, os filhos da minha irmã são meus filhos (*ikra*); isso corresponde ao que os antropólogos designam "filhos classificatórios"; apenas os filhos do meu irmão são meus *tabdjwỳ*. Isso exemplifica uma das nuanças perdidas numa tradução livre.

Outro problema enfrentado pelo tradutor é a necessidade de contextualizar vários termos, por exemplo, os amigos/as formais, um tema clássico na literatura Jê. A amizade formal, no caso Mẽbêngôkre, é herdada patrilateralmente – os amigos formais são transmitidos automaticamente de um pai aos seus filhos. Da perspectiva feminina, meus amigos formais (herdados do meu pai) são uma fonte de cônjuges potenciais para minhas filhas. Idealmente, quem se casa com minha filha é um dos meus amigos formais, da geração da minha filha (filho de um dos meus amigos formais da minha geração). Evito propositalmente a palavra "genro", porque meu amigo formal, ao se casar com minha filha, continua sendo meu amigo formal, eclipsando seu *status* de genro. Como forma de respeito, não dirijo nem a palavra nem o olhar aos meus amigos formais de sexo oposto. Portanto, não passo a evitar meu genro depois de ele se casar com minha filha; já o evitava por ser meu amigo formal. Em suma, nada muda. O termo de choro para os amigos formais, citado na tabela, pode ser dirigido aos amigos do mesmo sexo, ou referir-se aos amigos que já morreram. Este é um exemplo onde o termo de choro (*ajbikukonji*) é inteiramente distinto dos termos básicos, seja o termo de referência genérica *krabdjwỳ* (que desconsidera gênero), sejam os vocativos: *ikràmie, ikronget, ikrà,* etc. (veja tabela). Como se pode constatar, levei um parágrafo inteiro para explicar uma única palavra – *krabdjwỳ*.

Tabela dos diversos termos referentes aos amigos formais

	Primogênito e os do meio (kutewa/ konetã)	Caçula (kutapure)	Sexo do amigo/a formal (krabdjwỳ)	Sexo do locutor/a
Referência	ikràmie	ikràmre	♀	♀
	ikrongetx[13]	ikrongete	♀	♂
	ikronget	ikrongete	♂	♀
	ikrà	ikràre	♂	♂

Na forma vocativa, omita-se o prefixo *i-* da 1ª pessoa

Tradução e etnopoética

Para quem não fala mẽbêngôkre, é difícil demonstrar a distância entre a linguagem comum e aquela do choro. Seria interessante aprofundar essa questão no campo, citando o texto de choro frase por frase, e solicitando o equivalente na linguagem cotidiana. Alguém comparou a linguagem do choro à língua dos Suyá. Pode ter sido apenas uma maneira metafórica de expressar distância, via uma analogia entre outra língua (ou dialeto) e um léxico que diferencia o choro da linguagem cotidiana. Delego aos lingüistas o problema de resolver se o choro emprega um léxico arcaico, ou apenas diferencial, ciente de que uma possibilidade não exclui a outra.

A forma continuativa (ou gerúndio) é expressa em mẽbêngôkre em termos de "ficar sentado" ou "em pé". Por exemplo, quando Bêribêri fala: "Se você tivesse um filho" [linha 3], complementa dizendo "perto de você em pé" (*akuri dja*). Omiti isto da tradução porque, aos nossos ouvidos, confunde mais do que esclarece. Na ausência de uma forma subjuntiva, usa uma palavra interrogativa *djàm*; "Você tem um filho...". Aquilo que glosei como "que não tem" é muito mais sintético em mẽbêngôkre: *got*, que inverte o sentido da cláusula anterior.

Ao traduzir o texto, Mẽkarõ deu grande destaque ao tema de saudade (um verbo em mẽbêngôkre). O choro cerimonial é bastante egocentrado, no sentido de enfocar a perda da locutora.

Ao contrário de exemplos provenientes de outras sociedades, não há nenhuma menção às virtudes do morto, nem aos acontecimentos que

---

[13] Entendo, atualmente, que o *-tx*, pronunciado no final das palavras, é opcional. Significaria que Ego masculino e Ego feminino usam o mesmo termo para seus amigos de sexo oposto.

marcaram sua vida. Quem chora enfoca seus próprios sentimentos de perda. No cotidiano, a palavra que denota saudade é *ôama* [linha 6], mas nas fórmulas de choro, Mẽkarõ e Puju me traduziram *djujabe* como "saudade". Não há nenhuma relação evidente entre o termo de choro e o termo de uso cotidiano. Mẽkarõ também me traduziu *ujabe* como "uma pessoa que sai da família"; evoca a palavra para manso *uabe*.[14] Em duas ocasiões na narrativa, Bêribêri emprega a palavra *amak* [linhas 11 e 51], que Mẽkarõ traduziu também como "saudade". Essa é parecida com o termo comum *ôama*. Na linguagem comum, *amak* designa o ouvido, ou orelha, e *amak kre kêt* (orelha buraco NEG.) significa "surdo", ou ainda "valente". A associação entre um significado e o outro é que alguém muito valente não presta atenção aos outros.

Igualmente enigmática é a tradução feita por Mẽkarõ para *to amĩ kangu* (choro, 1sg do verbo) [linha 6]. A expressão corriqueira, traduzível como "eu choro", é *ba muwỳ* (*màrỳ* sendo a outra forma intemporal desse verbo). A palavra *kangu* evoca a palavra comum *kangô*, que significa "líquido", *no kangô* sendo o termo para "lagrima"; isso oferece uma pista possível para a derivação do verbo que denota "chorar". Na linguagem comum, *kakrit* significa "ordinário/ comum", e *kubẽ kakrit* é uma espécie de humanidade inferior. *Kubẽ* é usado para designar inúmeros povos semi-animais e semi-humanos encontrados na mitologia, como *kubẽ nhep* os "homens-morcegos". No choro, é recorrente a expressão *ga kakriti ja pruwàre* [linha 4 e *passim*], traduzido como "você foi embora com estrangeiros ruins", onde ruim é *pruwàre*, em contraste com a palavra comum *punure*.[15] O verbo traduzido como "andar devagar" (*kukwàrà*) [linha 5] é usado tanto no cotidiano quanto no choro, embora seja um verbo que eu havia associado com jabutis. Achava que significava "andar se arrastando". Os verbos mais comuns para andar são *mra* (*mraj* sendo a forma intemporal), e *ba*.

O termo para feitiço usado no choro *uja màrỳ* [linha 9] é completamente distinto do termo comum, *udjy*; é citado na narrativa como uma das causas de morte. O que mais me surpreendeu foi uma expressão *to i mry* (ou *t oj i mry*) [linhas 10, 19a e b], que Mẽkarõ traduziu da seguinte forma: "como se fosse um bicho", em fórmulas que dizem "você foi morto como se fosse um bicho". É incerto se aquilo traduzido como "bicho" (*mry*) trata-se de "caça"

---

[14] O morfema *dj-* geralmente relaciona a palavra que prefixa ao elemento à sua esquerda, por exemplo, há um contraste entre *mẽ ujdy* (feitiço) e *kubẽ djudy* (gripe). Não sei se desempenha essa mesma função neste caso.

[15] O sufixo *-re* é um diminutivo. No entanto, é comum encontrar o sufixo aumentativo *-ti* seguido pelo sufixo *-re*. O aumentativo, parece-me, serve para substantivar verbos, por exemplo, o nome pessoal *Be-bati*, (*Be* "andar" + aumentativo) é traduzido como "Bep sempre anda/ anda muito", em outras palavras, é um andarilho.

ou de "animal". Contrasta com aves (*àk*), passarinhos (*kwej*) e peixes (*tep*). De qualquer modo, a metáfora de alguém morto como se fosse bicho é interessante em termos da volumosa discussão sobre o tema da predação na etnologia das terras baixas da América do Sul. Nesse contexto, poderia ser interpretado como o supra-sumo do absurdo um homem, um predador por excelência, ter-se transformado numa presa em relação ao seu matador. Aquilo que glosei como "inimigo" (*kurê djwoj*) [linha 24] trata-se, na realidade, do "dono do ódio", *kurê* é o verbo "odiar" e *djwoj* "dono/ aquele responsável por algo".

A palavra *my* designa o pênis, e *ni* a vagina (ou ainda o intercurso sexual). O termo cotidiano para homens e mulheres é, respectivamente, *mẽmy* e *mẽnire*, ou seja, prefixado pela partícula que denota a coletividade. *Kubê my/ kubê ni* é a forma singular. É curioso que o modo de dizer "masculino" ou "feminino" é mais elaborada no choro: *kubê kri my* (masculino), *kubê kri ni* (feminino) [linha 12]. Tais expressões são um elemento constante das fórmulas de choro. No cotidiano, *kubê* indica a terceira pessoa, por exemplo "ele é xamã" (*kubê wajanga*); desconheço *kri* em outro contexto.

Tabela resumindo os exemplos do contraste entre palavras usadas no cotidiano e no choro

Glosa	Palavra comum	Palavra de choro
saudade	*ôama*	*djujabe*
"	"	*amak*
chorando	*muwỳ*	*to amĩ kangu*
ruim	*punure*	*pruwàre*
masculino	*my*	*kubêkri my*
feitiço	*udjỳ*	*uja màrà*

Os termos polissêmicos são os mais difíceis de traduzir. Um exemplo na narrativa de Bêribêri é *karõ* [linha 7]. Pode ser glosado como – "espírito", "alma", "fotografia", "desenho", "mapa", "sombra", "eco", "máscara" e o verbo (precedido por *ã-*) "explicar" e "planejar".

Bêribêri afirma que as velhas têm muito *kukràdjỳ* no choro [linha 18]. Por falta de algo melhor, glosei isto como "palavras". É um termo polissêmico que os líderes empregam, hoje em dia, para falar de sua "cultura". É usado para designar as partes que compõem uma totalidade, como as diversas seqüências de uma cerimônia. Por exemplo, os Mẽtyktire me afirmaram que há mais *kukràdjỳ* numa determinada cerimônia masculina (*mẽmy-biôk*) do que a forma feminina correspondente (*mẽni-biôk*). Numa ocasião, uma velha usou o mesmo termo para falar do segundo enterro da filha, ao me contar como juntou a ossada na sepultura, numa aldeia velha para levar até a aldeia nova.

Bêribêri descreve como as mulheres machucam seu *kukràdjỳ* extensivamente (*prine*) [linha 43]. Nesse contexto, *kukràdjỳ* pode ser glosado como "corpo", no sentido das partes que compõem o todo. Numa ocasião, alguém tentou me explicar o significado dessa palavra apontando para os braços, as pernas e o tronco, me dizendo, em relação a cada parte separadamente, "isto é *kukràdjỳ* e isto, e isto." É interessante comparar essa noção com o português, em que se pode falar de um corpo de balé, ou corpo docente, etc. Num outro texto, quando um pajé viaja fora de seu corpo, descreve aquilo que deixa para trás como seu *ĩn*, sua "carne".[16] Atualmente, o tema do corpo está muito badalado na Antropologia. Ainda não estou convencida de que nossa noção de "corpo" é análoga àquela dos Mẽbêngôkre.

Os dois volumes de mitos Jê, publicados em inglês por Wilbert e Simoneau (1978 e 1984), exemplificam a dificuldade de detectar erros na ausência dos textos nas suas respectivas línguas de origem. Por exemplo, na versão Mẽbêngôkre (Cayapo) do mito da origem dos caraíba ("cristãos"), proveniente de Métraux (1978, p. 152-153), a palavra *pino* (*sic*, deveria ser *pingô*) foi traduzida como lagarto (*lizard*), em vez de lagarta. O erro surgiu, provavelmente, em decorrência da proximidade das palavras "lagarta" e "lagarto" em português. Isso leva o leitor desavisado por uma pista completamente falsa para desvendar o significado do mito em questão. A versão do mito da origem dos caraíba, narrada por Bêribêri, pode ser consultada (apenas em inglês) no segundo volume organizado por Wilbert. A versão em português, do livro de mitos Mẽbêngôkre editado pelo missionário Anton Lukesch, apresenta os mitos apenas em português, enquanto na edição alemã os mitos são transcritos também em mẽbêngôkre. Enfim, mesmo não sendo lingüista, é melhor (a meu ver) apresentar uma transcrição não-profissional do que nenhuma.

A língua mẽbêngôkre faz uso freqüente da onomatopéia (algo compartilhado com a maioria das sociedades indígenas, suponho). O exemplo que aparece na narrativa de Bêribêri é a ressonância do facão batendo na cabeça "txu txu txu...".

---

[16] Suspeito que a palavra que os Mẽbêngôkre traduzem como "bosta", *ĩn*, seja relacionada à noção de carne (*ĩn*), embora Andrés Salanova (comunicação pessoal) tenha insistido em que há uma oclusão glotal na frente da palavra "fezes", ausente da palavra "carne". Jefferson (1989, apêndice 12, p. 3) não emprega uma oclusão glotal no termo *me ĩn* (fezes). Em termos freudianos, a associação entre carne e fezes seria plausível.

O recurso mais usado para dar ênfase é a elevação do tom da voz, alongando a última ou penúltima vogal: *kràmti^{iiiiiiii}$_i$* (muitíssimo, linha 18), ou *oni^{iiiiiii}a* "muito muito longe" (um exemplo que se ouve freqüentemente no cotidiano), um recurso ofuscado ao transpor um texto para o papel.

Nas fórmulas de choro, vogais podem ser adicionadas aos finais das palavras para ajudar o fluxo do ritmo ...*kamà /amĩ to djamà/ nam amĩ toj bôjtchi...* [linha 53]. Minha pesquisa acerca dos nomes pessoais já havia me sugerido o emprego (conscientemente ou não) do recurso da rima. A linha 5: '*n'amĩ to abôjtxi* rima com linha 13: *amĩ to apôjtxi*.

Na linha 52 do texto anexo *be* é posposição malefactiva, que aparece no sentido de que "meu filho foi morto contra/de mim" e cujo antônimo é a posposição benefactiva *ã*. Ambas as posposições são muito comuns, tanto nas narrativas quanto no cotidiano, *bê* é usado também para falar de um roubo, por exemplo "alguém roubou meu peixe" (*Mẽ'õ ibê itêp oakĩ*) [uma frase hipotética apenas para fins de comparação]. O estativo (ou essivo) é um homófono, como, por exemplo, na palavra Mẽbêngôkre (Mẽ-bê-ngô-kre; COL. EST. água buraco). Outro exemplo desse uso é a palavra *kubê*, que pode ser glosada como "ele é"; ou ainda como "virou", no sentido de "transformou-se". Delego aos lingüistas deliberar se é uma coincidência, ou se há alguma relação entre os dois usos de *bê*.[17]

Aquilo reconhecido, hoje em dia, como "gripe" pelos Mẽbêngôkre, chama-se, literalmente, "feitiço de caraíba". Trata-se, provavelmente, de um termo antigo que surgiu junto com a gripe, percebida originalmente como feitiço. Quando Bêribêri fala de um filho morto por gripe usa *pa* [linha 52], um verbo plural, versus *bĩ*, o verbo singular. Este contraste entre verbos distintos para expressar o singular e o plural fica perdido, inevitavelmente, na tradução.

Quando perguntei a Bêribêri sobre o choro para um natimorto, respondeu: *mẽ kra tikre kam rôrôk nẽ atxidjuwà nẽ tyk* [linha 51]; traduzi isto como: "Quando um filho nasce da barriga e morre...". Mas soa infinitamente mais poético em mẽbêngôkre, sintetizado pelas três constatações, costuradas pela repetição de *nẽ*. O verbo *rôrôk* significa "cair"; Bêribêri usa o mesmo verbo ao descrever as mulheres se jogando no chão [linha 39].[18] *Atxidjuwà* é um verbo plural que corresponde (parece-me) ao verbo *ruy*, "nascer/descer", no singular. Isto talvez se explicaria pelo fato de Bêribêri estar falando em termos abstratos, e não de um bebê específico. Já foi constatado que ela usava o verbo plural ao falar da morte dos filhos, o que se encaixaria no mesmo raciocínio.

---

[17] Uma discussão dessa partículas pode ser encontrada em Jefferson (1974).

[18] Salanova (1999) sugere que *rôrôk* pode ser um verbo plural, correspondendo ao verbo singular *tỹm*.

A palavra ou morfema *je* [linha 10] aparece diversas vezes na narrativa. Na literatura Jê, costuma ser associada à afinidade, algo que parece improvável no caso Mẽbêngôkre. É usada como sufixo em nomes de alguns povos Jê como Apinajé e Krenjé.[19]

Conclusão

Meu uso de determinados termos talvez possa deixar os lingüistas com os cabelos em pé, indignados pelo uso inapropriado, indevido, ou meramente intuitivo. Apesar disso, sinto que meu mergulho na narrativa de Bêribêri conseguiu clarear o que ela quis me dizer. E espero ter demonstrado que o choro cerimonial, longe de ser um pandemônio, é não apenas plenamente decifrável, mas também uma arte primorosa. Bêribêri é a autora do texto, eu apenas aponto para as dificuldades de tradução.

Referências

AURÉLIO. *Dicionário Eletrônico*, versão 3.0. Lexicon/Editora Nova Fronteira.

BERI BERI. The Origin of White Men from Caterpillars. Transcrição e tradução de V. Lea. Mito número 28, p. 69-73. In: WILBERT, J.; SIMONEAU, K. (Org.). *Folk Literature of the Gê Indians*, v. 2. Los Angeles: UCLA, 1984.

JEFFERSON, K. *Semantic Clause Analysis in focus for learning Kayapo*. Ms. SIL, 1974.

_____. *Gramática Pedagógica Kayapó*. Arquivo Lingüístico 186. Brasília: SIL, 1989.

LEA, V. O corpo como suporte para a geometria. *Idéias matemáticas de povos culturalmente distintos*, In: LEAL K. Mariana, Ferreira (Org.). São Paulo: Centro Mari da USP/Editora Global, 2002.

_____. Aguçando o entendimento dos termos triádicos Mẽbêngôkre via aborígenes australianos: dialogando com Merlan e outros. *Liames*, 4, p. 29-42, Campinas, Instituto de Estudos da Linguagem, Unicamp, 2004.

_____. Mẽbengokre ritual wailing and flagellation: a performative outlet for emotional self-expression. A ser publicado em *Indiana*. Berlim, em 2004.

LUKESCH, A. *Mito e vida dos índios Caiapós*. São Paulo: Livraria Pioneira Editora, 1969 (1976).

---

[19] De acordo com o professor Aryon Rodrigues (comunicação pessoal) coincide com a etimologia da palavra Jê em português.

PROJETO DE DICIONÁRIO MEBÊNGÔKRE. Coordenado por V. Lea. Apoio: 1995-1996: Bolsa de pesquisa da Wenner-Gren Foundation, Nova York. 1996: Suporte para pesquisa da Fundação Wenner-Gren, recursos para completar a digitação do material lexical Mẽbêngôkre, Fundo de Apoio ao Ensino e à Pesquisa (Faep), processo nº 1082/95; assistente de pesquisa: Patrícia Azeredo. 1998-2000: Bolsa de pesquisa da Fapesp, processo nº 97/10135-6, Projeto de Pesquisa Lingüística Mẽbêngôkre, coordenado por V. Lea, do Instituto de Filosofia e Ciências Humanas (IFCH), Unicamp, entre 1998 e março de 2000, e por Wilmar da Rocha d'Angelis, do Instituto de Estudos da Linguagem (IEL), Unicamp, de abril de 2000 até 2001. Pesquisa de campo e banco de dados informatizado organizado por Andrés Pablo Salanova e Maria Amélia Reis Silva.

SALANOVA, Andrés Pablo; REIS SILVA, Maria Amélia. *Mẽ kabẽn'ã piôk: Léxico Mẽbêngôkre-Português*, Versão 0.04 (impressa em 15-11-99), 1999.

SCHERZER, J.; URBAN, G. (Org.). *Native South American Discourse*. Berlin: Mouton de Gruyter, 1986.

STOUT, M.; THOMSON, R. Fonêmica Txukahamei (Kayapó). *Série Lingüística* 3, p. 153-176, 1974a.

_____. Modalidade em Kayapó. *Série Lingüística* 3, p. 69-97, Brasília: SIL, 1974b.

_____. Elementos proposicionais em orações Kayapó. *Série Lingüística* 3, p. 35-67, 1974c.

STRATHERN, M. Necessidade de pais, necessidade de mães. *Estudos Feministas*, ano 3, n. 2, p. 303-329, 1995.

TURNER, T. *Social structure and political organization among the Northern Kayapó*. (Tese de Doutorado) Universidade de Harvard, Cambridge, Ms. 1966.

URBAN, G. Ritual wailing in Amerindian Brazil. *American Anthropologist* 90, n. 2, p. 385-400, 1988.

WILBERT, J.; SIMONEAU (Org.). *Folk Literature of the Gê Indians*, v. 1. Los Angeles: UCLA, 1978.

_____. *Folk Literature of the Gê Indians*, v. 2. Los Angeles: UCLA, 1984.

Anexos

Entrevista com Bêribêri, na aldeia de Kretire, Parque do Xingu, Mato Grosso, em 1982.
Assistentes de transcrição: Beptôk, Txypyry e Mẽkarõ Mẽtyktire
Co-tradução: Vanessa Lea e Mẽkarõ Mẽtyktire

O texto em mẽbêngôkre está apresentado em itálico; a linha acima é utilizada para analisá-lo, e a linha numerada corresponde à tradução livre.[20] As aspas duplas indicam as fórmulas do choro, diferenciado-as do restante da narrativa de Bêribêri. Os algarismos romanos indicam o início de cada trecho extraído da narrativa para a atual apresentação.

VL.[21]	Como é o choro das moças?
	2S- moça (então HORT.) FUT. 2S
	Akurerere (kam gê) dja ga:
1	Sendo uma moça, faça assim:
	"Ah irmão" assim, 2S-choro um CONJ. contar
	"Ajàrỳdjwỳ" ane, amàrỳ pydji n'arẽn
2	"Oh irmão" assim, chorando apenas uma vez. {bis}
VL.:	Só isto?
	CONJ. INT. 2S-filho algum CONJ. 2S-perto em pé INV. 2S
	Nhỹm djàm akra õn n'akuri dja got ga:

---

[20] Não consegui sanar certas discrepâncias na ortografia adotada, por causa de tantas influências divergentes, até hoje, e em razão do amadurecimento gradativo do meu entendimento da língua.

[21] Símbolos e abreviaturas

[ ] = explicações de Mẽkarõ, na análise da narrativa; { } = comentários meus; 1S = pronome de primeira pessoa singular; 1S- = prefixo de primeira pessoa singular; 2S = pronome de segunda pessoa singular; 2S- = prefixo de segunda pessoa singular; 3S = pronome de terceira pessoa; prefixo de terceira pessoa = Ø; 3P = pronome de terceira pessoa plural; ASP. = aspecto; AUM. = aumentativo; BEN. = benefactivo; CAUS. = causativo {?} No verbete de Salanova (1999), *je* é descrito como posposição, com o significado de "devido a"; "por causa de"; "por", etc.; COL. = a coletividade; COM. = comitativo; CONJ. = conjunção. Há duas conjunções comuns – *nẽ* (às vezes abreviada para *n'*; e *nhỹm*. De acordo com o SIL, a primeira é usada quando dois predicados mantêm o mesmo sujeito; caso contrário, usa-se *nhỹm*. Na narrativa, a primeira conjunção é às vezes transcrita *na*, conforme a pronúncia. *Nẽ* é descrito por Stout e Thomson como também indicando "não futuro". Para mais detalhes, ver a publicação dessas autoras de 1974b. DIM. = diminutivo; DIR. = direcional; EST. = estativo. FUT. = tempo futuro; HORT. = hortativo; INS. = instrumento (glosado "com" por Stout e Thomson 1974b, p. 77); INT. = interrogativo; INV. = inversor; MAL. = malefactivo; NEG. = negativo; OBJ. = objeto; REF. = reflexivo.

3	Se você tivesse um filho, que não tem, poderia fazer assim:
	?: "Ah irmão" CONJ. 2S estranho/estrangeiro este ruim COM. BEN. [*pruwàre* = xingando o estrangeiro ruim]
	Aje: "aj jàrỳdjwỳ na ga kakriti ja pruwàre kôtô mã
4	"Oh meu irmão, você foi embora com estrangeiros ruins
	REF./?/2S-andar devagar/ CONJ.-REF. ?/ 2S-chegar
	amĩ/ to/ ʷakukwàrỳ/ n'amĩ to/ abôjtxi.
5	e agora você chegou de volta.
	1S EST. irmã/ com saudade/ ? REF. chorar ?-sentado assim [*baj bê* = *ba ibê*]
	Baj bê pijidjwàre/ djujabê/ to amĩ kangu t'ônhỹ" anhunàmỳ...
6	Eu, sua irmã, estou chorando com saudades", assim...
I	
	COL. 1S-mãe/ COL. 1S-irmão/ COL. 1S-pai NEG./ 1S-COL. espírito ouvir
	Mẽ inã,/ mẽ ikamy,/ mẽ ibam kêt / bamẽ karõ ma
7	Depois da morte da nossa mãe, nosso irmão, ou nosso pai, ao pensar no espírito deles,
	CONJ. 1S-choro muito CONJ. 1S-filho COM. contar
	n'imàrỳ kràmti n'ikra kôt arẽn
8	aumentamos o choro de acordo com a quantidade dos filhos que temos:
	{A fala que segue é dirigida ao irmão que chegou:}
	? [*Djà na* = *màjna*; que que é] mãezinha / estrangeiro este ruim / feitiço / ruim/ ? MAL.
	"Djà na/ jurudjwàre / kakriti ja pruwàre /ujamàrỳ/ punure/ toj bê
9	"Gente ruim matou mamãe com feitiço,

	pai CAUS. COL., irmão CAUS. COL., morto, 1S irmão CAUS. COL. [*toj i mry* = *tyk* morto, ou matou]
	djumudjwà je mẽ, ajàrỳdjwỳ je mẽ, toj i mry, ba ajàrỳdjwỳ je mẽ
10	Papai e teu irmão foram mortos como se fossem bichos; meu irmão
	Papai CAUS./ estou com saudade / na frente / REF.? andar devagar
	djumudjwỳ je / toj amak/ kukamỳ / amĩ toj kukwarỳ.
11	estou com saudade de papai, e agora sou eu que ando na frente.
	CONJ./já [cf. *aryp*] / 2S.-sobrinho CAUS. / 3S ? masculino 3S ? feminino [*kwoj* = gente, nasceram]
	Nhàmỳ / taràmỳ / atàmỳdjwôj je / kubê kri my kubê kri ni kwoj
12	Teus sobrinhos, meninos e meninas
	Já, 1S.-dentro REF. ? tirar
	taràmỳ, ikam amĩ to ʷapôjtxi
13	já nasceram,
	CONJ. REF.? mocinha [*kamà* = *kam*; então] andar/ [*mi bê* = cuidar{?}]
	nẽ amĩ to kurereti kamà ba/ mi bê
14	e uma já está uma mocinha. Fiquei cuidando de
	2S.-sobrinho / CAUS. / fêmea / macho / ? andar devagar
	atamàdjwôj / je / kubê kri ni / kubê kri my / toj kukwarỳ.
15	teus sobrinhos, os meninos e as meninas, acompanhando-os.
	CONJ. 2S ? REF. ? 2S-chegar/ 1S saudade ? REF. chorar sentado {ASP.}" assim
	nẽ ga t'amĩ to ʷabôtxi/ ba djujabê to amĩ kangu t'ônhj" ane
16	Aí você chegou, e estou chorando de saudade" assim.

	[nà bàm = quando] COL. { `ã = ela indicou o número com a mão} 1S-filho muitos assim
	nà bàm mẽ `ã ikra kràmti ã ane.
17	Quando tem muitos filhos chora assim.
II	
VL.:	O choro das velhas é igual?
	As anciãs / velhas/ CONJ./ COL. choro / partes de um todo / muito
	...mẽbênget / tum / na / mẽ màrỳ / kukràdjỳ kràmti[iiiiiiiii]ꭵ
18	As velhas têm muitas palavras do choro
IIIa	
	1S-MAL. / 1S-filho / CAUS./ macho / morto" assim
	"Ibê / ikakra / je / kubê kri my / to i mry" ane
19a	"Meu filho foi morto como se fosse bicho" assim.
IIIb	
	"IS-filho CAUS. fêmea morta" assim
	"Ikakra je kubê kri ni toj imry" ane
19b	"Minha filha foi morta como se fosse bicho" assim.
IV	{Comentário do tradutor} Para o cachorro morto se diz:
	1S-filho / 3S / água buraco {olho d´água} / cf. puràk = parecido
	"Ikakra/ kubê / ngôkre / purà bê"
20	"Meu filho que parece gente".
V	
	Conj./ INT./ 2S/ logo/ chegar / CONJ./ 3P = grupo pequeno/ pequeno/ morto
	Nhỹm / djàne / ga / õn / bôj / nhỹm / ari / prĩ / tyk
21	E se você chegasse no momento em que morre uma criança pequena
	CONJ./ COL. aqueles que/ REF. bater / COM./ 2S ver

22	*nhỹm / mẽ kute / amĩ tak/ kôt/ ga ômu,*
	você ia ver as pessoas se machucando.

	COL.1S-velho / CONJ. COL., COL. MAL. filho morto
	Mẽ-i-tum / na mẽ, mẽ bê kra tyk,
23	Pessoas velhas, quando morre um de nossos filhos,

	COL. 1S-irmão / ódio dono, COL. OBJ.-matar {plural}
	mẽ ikamy/ kurê djwôj, mẽ kupa
24	quando inimigos matam nossos irmãos,

	1S.-COL. / REF. bater/ CONJ./ COL. faca-INS. REF. bater CONJ.
	bamẽ / amĩ tak / nẽ/ mẽ kàtx-ô amĩ tak nẽ,
25	nós nos batemos com facão;

	junto MAL.faca tirar / CONJ./ COL. faca /INS. / REF. bater INS.-andar
	aben bê kàtx opôj / nhỹm / mẽ kàtx / ô / amĩ tak ôba.
26	aí, outras agarram o facão para se machucar também.

	1S.-COL. / COL. MAL.tirar / CONJ. INS. / REF. bater CONJ.
	Bamẽ / mẽ bê kàtx opôj / nẽ ô / amĩ tak nẽ.
27	Agarramos o facão, uma da outra, e nós nos batemos.

VL.:	E quando não tinha faca de caraíba, se usava o quê?

	caraíba {estrangeiro cristal} / COL. ir; caraíba/ lá / andar / 3S /caraíba matar {plural}
	Kubẽ kryt / mẽ tẽ; kubẽ kryt / mũm / ba / kute / kubẽ kryt / pari.
28	Pessoas iam lá matar caraíba para trazer facões.

	CONJ./ estrangeiro / facão/ trazer, INS.REF. bater
	Nẽ / kubẽ / kàtx / ô ba nô bôj, ô amĩ tak

29	Traziam facões para se baterem,
	1S.-COL. / COL. MAL./ tirar / {*nô* = *nẽ* + *o* ?} CONJ. INS./ REF. / bater/ CONJ.
	bamẽ / mẽbê / opôj / nô / amĩ / tak / nẽ.
30	e uma tira da mão da outra para se bater também.
VL.:	E por quê...?
	Oh INT. COL. / apenas / Ah! Ah! / 1S-filho CONJ.
	Ô djà mẽ / ate / aj aj / ikakra nẽ
31	Oh! Devemos apenas nos lamentar Ah! Ah! meu filho,
	REF. cabeça / {onomatopéia}/ assim / enfático {homófono do negativo}
	amĩ krã / to txy txy txy / anhunỳ kêt
32	em vez de bater nossa cabeça *to txy txy txy.*
VL.:	Por que as mulheres derramam sangue?
	Oh CONJ./ COL.-1S / COL. REF. bater/ CONJ./1S-cabeça sangue {bis}/ correr
	"Ô na/ mẽba / mẽ amĩ tak/ nẽ / ikrã kamrô, ikrã kamrô / pront.
33	"Oh! nós nos batemos, e a cabeça sangra; derramamos o sangue.
	CONJ./ hortativo FUT./ 2S / lá longe / REF. bater
	Nẽ / gê dja / ga / nĩ / amĩ tak
34	Faça assim depois de ir embora; bata-se.
	CONJ. 2S. cabeça sangue /longe {?}/ correr
	nẽ akrã kamrô / nĩ / pron
35	Faça escorrer o sangue da cabeça.

	CONJ./ 2S.-rosto / este BEN./ correr, CONJ./ 2S/ então/ ver
	Nẽ / anokre / jã ã / pron, nẽ / ga / kam / ômu
36	E deixe-o escorrer pelo rosto, aí você vai ver como é.
	imperativo / REF. bater / CONJ. 2S / FUT./ simplesmente / faca /algum {ou INS.}/ pegar
	Gora / amĩ tak,/ nẽ ga / dja / tu / kàj ô by,
37	Pode se bater, é só pegar uma faca,
	CONJ. INS./ REF. bater / INS. ir
	n'ô amĩ tak ô tẽm.
38	e fica se batendo
VL.:	E no chão?
	Sim, / terra BEN. / lá / REF. jogar / lá cair CONJ./ {bis}
	Ã, pyka ã / mum / amĩ re, / mum rôrôk nẽ, mum rôrôk nẽ
39	Sim, depois se joga no chão, cai para cá e cai para lá,
	CONJ. COL. terra BEN. REF. lá terra BEN. cair, CONJ. terra BEN. cair CONJ.
	Nẽ mẽ pyka ã amĩ mum pyka ã rôrôk, nẽ pyka ã rôrôk nẽ
40	depois se joga no chão, cai no chão.
	madeira / lenha / pegar / CONJ. INS. REF. bater CONJ./ lenha INS. REF. bater CONJ.
	Pĩ, / pĩ poj / jamy / n'ô amĩ tak nẽ/ pĩ poj ô amĩ tiktik nẽ,
41	Pega um pedaço de pau, de lenha, e se bate, se bate com pau,
	1S.-filho este / 1S.-filho 3S / segurar / lugar / este / machucar / este machucar
	ikra ja,/ ikra ja kute / amỳ / djà / ja / kajy, ja kajy,
42	machuca-se no lugar que segurava teu filho.

	3S. / criança segurar lugar este machucar,/ totalmente /REF. corpo machucar
	Kute / kra jamàj djà ja kaju,/ prine / amĩ kukràdjà kajy
43	Machuca o lugar que segurava o filho, machuca o corpo todo.
VL.:	Para quais parentes?
	COL.- irmão /morto CONJ./ COL... REF. bater CONJ.
	"*Mẽkamy / tyk nhỹm / mẽ...amĩ tak nẽ,*
44	Nós nos batemos para nossos irmãos {bis}
	COL.filho morto CONJ. COL. REF. bater CONJ.
	mẽkra tyk nhỹm mẽ amĩ tak nẽ
45	nós nos batemos por causa de nossos filhos mortos,
	COL. mãe morta CONJ. COL. REF. bater CONJ.
	mẽ nã tyk nhỹm mẽ amĩ tak nẽ
46	nós nos batemos por causa das nossas mães,
	COL.-1S. pai morto CONJ. COL. REF. bater CONJ.
	mẽ ibam tyk nhỹm mẽ amĩ tak nẽ...
47	nós nos batemos por causa dos nossos pais...
VI	
	HORT. FUT./ 2S./ BEN./ teu marido que é meu sobrinho {*tabdjwỳ*}/ algum / DIR. chegar CONJ. assim
	Gê dja / ga / ã / arikramre / 'õ / àrà bôj nẽ^{h}à ane.
48	Quando chega a um de seus maridos faça assim.
VII	
VL.:	E como se chora no caso de doenças de índio?

	Mẽbêngôkre aquele / CONJ. 1S.-COL. 1S.-choro / certo / 1S.-contar
	"Mẽbêngôkre tam / nẽ bamẽ imàrà / kôt ijarẽ."
49a	"Os Mẽbêngôkre choram do jeito que falei para você.
	{Uma criança que estava escutando interpôs:}
	"Nẽ kubẽ nẽ iiiiiiii"
	"Os caraíba fazem iiiiiiii."
	Conj./ COL.2S.-EST. estrangeiro / 2S.-COL./ apenas / *iiiiiiii* INS. 2S.-andar
	Nhỹm / mẽ abê kubẽ / gamẽ / tu / iiiiiiii ô aba
49b	E vocês caraíba ficam somente fazendo iiiiiiii".
	MISCELÂNEA
	1S.-filho HORT. FUT. 1S. REF. MAL. saudades/ então REF. ? sentar [*atoj* = de você]
	"Ikakra gê dja ba amĩ bê atoj amak / kamà amĩ toi krĩ ..."
50	"Meu filho, vou ficar com saudade de você..."
	COL.-filho barriga em cair CONJ. nascer CONJ. morto
	Mẽkra tikre kam rôrôk nẽ atxidjuwà nẽ tyk...
51	Quando um filho nasce da barriga e morre... {ou 'nasce morto'?}
	Sim, COL.-filho /estrangeiro feitiço /COL.-1S.- MAL./ COL. 1S.-filho /matar {plural}
	Ã, mẽkra / kubẽ djudjy / mẽ ibê / mẽ ikra pa
52	Sim, quando a gripe mata nossos filhos...
	...*kam* = em / REF. ? em pé / CONJ. REF. / ? chegar
	Kamà / amĩ to djamà/ nam amĩ / toj bôjtchi...
53	Fiquei lá junto {com outra gente}, aí cheguei de volta...

Quadro dos termos de parentesco usados no choro

Nº	Glosa: minha ou meu...	a) Termo básico de referência b) vocativo	Termo de choro para ego feminino	Termo de choro para ego masculino
1	irmã do pai, avó	a) ikwatỳj b) tujwa	aj-imupudjwỳ(re)	imàjpudjwỳri
2	irmão do pai, avô	a) inhênget b) ngetwa	"	"
3	♂ filhos da irmã; ♀ filhos do irmão; ♂ e ♀ netos	a) itabdjwỳ b) várias formas	aj-itamỳdjwỳ	imàjtamỳdjwỳri
4	mãe	a) inã b) jêrua	aj-jurudjwỳ	imàj-jurudjwỳri
5	pai	a) ibam b) djunwa	aj-djumudjwỳ	imàjdjumudjwỳri
6	filho/a	a) ikra b) várias formas	aj-ikakra	imàjkakrari
7	irmã	a) ikanikwoj b) várias formas	aj-pidjwỳ(re)	imàjpidjwỳri
8a	irmão (primogênito /e os do meio)	a) ikamy (kutewa / konetã) b) várias formas	aj-ijàrỳdjwỳ	imàj-jàrỳdjwỳri
8b	irmão caçula	a) ikamy b) várias formas	ajapu	imàj-japuri
9	amigo/a formal	a) ikrabdjwỳ b) várias formas	aj-bikukonji	imàjbikukonjire
10	esposa	a) iprõ b) taware	-	imàjkjêrikunori
11	marido	a) imied b) taware	aj-ikjêrikuno	-
12	♀ esposa do irmão / nora	a) e b) djwoj	aj-djwỳdjwỳ	-
13	♂ esposa do irmão / nora	a) idj'ypỳjn b) popỳjn	-	imàjwawàri

14	♂ e ♀ marido da irmã / ♂ e ♀ marido da filha; ♀ irmão do marido	a) idjudjwỳ b) ♀ ibianhõ b) ♂ kràtkà	aj-wawà	-
15?	♀ irmã do marido ♂ irmão da esposa	a) idjumre b) ♀ pomre b) ♂ màj	aj-pomrewà	imàjrewàri / imàjdjuwudjwỳre
16?	mãe do marido	a) idjumrengetx b) pomrengetx	aj-wawà aj-pomrengetxiwỳ	-
17	mãe da esposa	a) idj'ypỳjndjwỳ b) popỳjn-ngetx	-	imàjpomrengetxiwỳ
18 ?	sogro	a) idjumrenget b) ♀ pomrengetx b) ♂ màjnget	aj-wawà aj-pomrengetxiwỳ	imàjrewàri

Nota lingüística

Quadro fonêmico e transcrição adotada

Consoantes

	bilabial		alveolar		palatal		velar		glotal	
oclusivas surdas	/p/	p	/t/	t	/č/	tx	/k/	k	/'/	'
oclusivas sonoras	/b/	b	/d/	d	/dʒ/	dj	/g/	g		
nasais	/m/	m	/n/	n	/ɲ/	nh	/ŋ/	ng		
aproximantes	/w/	w	/ř/	r	/y/	j				

Vogais orais

	anterior		central		posterior não-arredondada		posterior arredondada	
alta	/i/	i			/ï/	y	/u/	u
média	/e/	ê			/ë/	ỳ	/o/	ô
baixa	/ɛ/	e	/a/	a	/ʌ/	à	/ɔ/	o

Vogais nasais

	anterior		central		posterior não-arredondada		posterior arredondada	
alta	/ĩ/	ĩ			/ï̃/	ỹ	/ṵ/	ũ
baixa	/ɛ̃/	ẽ	/ã/	ã	/ʌ̃/		/õ/	õ

O quadro acima é baseado em Stout and Thomson, 1974. A única distinção fonêmica descrita por Stout and Thomson que omiti foi entre /ã/ e /ʌ̃/.[22]

Quadro mostrando as transcrições adotadas por mim ao longo do tempo

Phoneme	V 78	. 95	Lea 1998
/e/	è	-	ê
/ɔ/	ò	-	o
/o/	o	-	ô
/ï/	ù	-	y
/ë/	ë	-	ỳ
/č/	ts	tx	-
/dʒ/	dz	dj	-
/y/	y	-	j

---

[22] Entendo, atualmente, que o –tx, pronunciado no final das palavras, é opcional. Significaria que ego masculino e ego feminino usam o mesmo termo para seus amigos de sexo oposto.

Sistema fonológico do Timbira Apãniekrá

(Fonemas, sílaba e acento)

Flávia de Castro Alves (PG – Unicamp)

Introdução

O etnólogo pioneiro no estudo dos povos Timbira foi o alemão Curt Unkel Nimuendajú. Em seu trabalho *The Eastern Timbira* (1946), o autor classifica sob o rótulo 'Timbira' 15 grupos:

- Timbira do Leste (à direita do Rio Tocantins): Grupos do Norte: Timbira de Araparitiua (Gurupí), Krẽyé de Bacabal e Kukoekamekrá de Bacabal; Grupos do Sul: Krẽyé de Cajuapara, Krikatí, Pukóbye, Gaviões do Oeste ou da Floresta, Krepumkateye, Krahó, Põrekamekra, Kénkateye, Apányekra, Ramkokamekra e Čákamekra;
- Timbira do Oeste (à esquerda do Rio Tocantis): Apinayé.

Os Timbira atualmente somam uma população aproximada de 6 mil indivíduos e são compostos pelos povos Apãniekrá, Ramkokamekrá (ambos conhecidos como (Kanela), Apinajé, Krahô, Krĩkati, Parkatejê (Gaviões do Pará), Pykopjê (Gaviões do Maranhão), Kokujrekatejê, Krẽyê de Cajuapara, Timbira de Araparitíua, Kenkatejê, Krepumkatejê, Põrekamekrá e Txokamekrá.

Os sete grupos que vivem de maneira autônoma estão distribuídos nos estados do Maranhão, Tocantins e Pará: Apãniekrá: Terra Indígena Porquinhos, município de Barra do Corda (MA); estimativa da população 458 indivíduos (Funai Barra do Corda: 2000); Ramkokamekrá: Terra Indígena Kanela, município de Barra do Corda (MA); estimativa da população 1.387 indivíduos (Funai Barra do Corda: 2000); Apinajé: Terra Indígena Apinayé, municípios de Tocantinópolis, Itaguatins e Maurilândia (TO); estimativa da população 990 indivíduos (FUNASA, 1999); Krahô: Área Indígena Kraolândia, municípios de Goiatins e Itacajá (TO); estimativa da população 1.790 indivíduos (FUNASA, 1999); Krĩkati: Área Indígena Krĩkatí (aindà aguardando homologação e registro), municípios de Amarante, Montes Altos e Sítio Novo (MA); estimativa da população 620 indivíduos (FUNAI IMPERATRIZ, 2000); Parkatejê: Terra Indígena Mãe Maria, município de Bom Jesus do Tocantins (PA); estimativa da população 414 indivíduos (FUNAI MARABÁ, 2000); Gavião Pykopjê: Área Indígena Governador, município de Amarante (MA); estimativa da população 250 indivíduos (FUNAI IMPERATRIZ, 1998).

Os Kokujrekatejê (que se autodenominam Timbira), os Krẽyê de Cajuapara e os Timbira de Araparitíua (ambos atualmente conhecidos como Krẽjê) já não vivem como grupos autônomos. Em número reduzido de indivíduos, esses grupos vivem atualmente com os Guajajara e os Tembé (falantes de línguas da família Tupi-Guarani).

Os indivíduos pertencentes aos povos Kenkatejê, Krepumkatejê, Põrekamekrá e Txokamekrá vivem hoje espalhados entre os sete povos que vivem de maneira autônoma. Com relação aos Krẽjê de Bacabal, atualmente não há pessoas que se identifiquem como a eles pertencentes (MELATTI, 1999).

O objetivo deste trabalho é apresentar uma revisão de minha dissertação de mestrado (ALVES, 1999), nos aspectos referentes à descrição e estatuto de certos fonemas e alofones (o segmento k^h e as consoantes obstruintes nasais), sílaba e acento da língua Timbira falada pelo povo Apãniekrá.

Fonemas

Em Alves (1999), mostro que o Apãniekrá apresenta os seguintes fonemas consonantais e vocálicos (entre colchetes os respectivos alofones): /p/ [p b β mp mb m], /t/ [t d ð ɾ nt nd], /k/ [k g ŋk ŋg ŋ], /tʃ/ [ts tʃ ɲtʃ j h], /k^h/ [k^h k^{hj} $k^ç$ k^s tʃ], /m/ [m bm], /n/ [n dn], /w/ [w β b], /ɾ/ [ɾ ɻ l l̥], /j/ [j ʒ dʒ ʑ ɲ], /h/ [h x /], /i/ [i e], /ɨ/ [ɨ ə], /u/ [u o ɔ], /ĩ/ [ĩ ẽ], /ũ/ [ũ], /e/ [e i], /ə/ [ə ɨ], /o/ [o u], /ɛ/ [ɛ e i], /ɜ/ [ɜ ə ɨ], /ɔ/ [ɔ o], /ẽ/ [ẽ ẽ], /õ/ [õ õ], /a/ [a ɜ ə], /ã/ [ɜ̃ õ̃ õ̃].

A análise atual[1] considera os fonemas e suas variantes /mp/ [mp p], /nt/ [nt t], /ɲtʃ/ [ɲtʃ tʃ], /ŋk/ [ŋk k] como representantes da série obstruintes nasais (que não constavam da análise anterior), ao lado das obstruintes (orais) /p/ [p

---

[1] Essa análise é parte do trabalho que realizei para qualificação na área de fonologia: *as seqüências nasais + consoantes homorgânicas (mp, nt, ɲtʃ, ŋk) do Timbira Apãniekrá: uma abordagem pela Teoria da Otimalidade*. Aproveito para agradecer enormemente aos professores do Instituto de Estudos da Linguagem da UNICAMP que participaram dessa banca de qualificação de área: Bernadete Abaurre (presidente), Wilmar D'Angelis e Filomena Sândalo.

b β], /t/ [t d ð ɾ], /tʃ/ [tʃ ts], /k/ [k g kʰ kʰʲ kᶜ kˢ tʃ] e das nasais /m/ [m bm], /n/ [n dn]. Outra diferença da análise de 1999 é considerar os seguintes fonemas /w/ [w β b], /ɾ/ [ɾ ɻ l l̥], /j/ [j ʒ dʒ ʑ ɲ], /h/ [h x ʔ] como representantes de uma única série, a dos glides:

mp	nt	ɲtʃ	ŋk	obstruintes nasais
p	t	tʃ	k	obstruintes
m	n			nasais
w	ɾ	j	h	glides

vogais

i ĩ		ɨ ɨ̃		u ũ
e		ə		o
ɛ ɛ̃		ɜ		ɔ ɔ̃
		a ã		

A seguir, retomarei dois aspectos anteriormente estudados propondo uma nova análise.

O segmento kʰ

kʰ, embora considerado no trabalho de 1999 como fonema na língua, não faz parte do sistema fonológico proposto neste trabalho. As justificativas para essa alteração são as seguintes:
– kʰ pode realizar-se sem a aspiração em sílaba átona e ocorrer como [g]:
[i:'taʔ.i:.ku.ga'təj] ~ [i:'ta.i:.gu.ka'təj]] ~ [i:'ta.i:.kʰu.ka'təj] [2]

ita   i-   kukatəj
esta   1-   testa
'esta é minha testa'

---

[2] Glosas: 1,2,3 - 1ª, 2ª e 3ª pessoas, respectivamente; incl – inclusivo; gen – genitivo; clas – termo de classe; pas – passado.

Como [g] ocorre nos mesmos ambientes anteriormente previstos e descritos para o fonema /k/ e, principalmente, como k^h pode não ocorrer em sílaba átona, minha proposta é considerar um /k/ que, em sílaba tônica realiza-se com aspiração $[k^h]$:

$$/k/ \rightarrow [k^h] / \_\_ V$$
$$[+acento]$$

– observando os pares de dados:

[ĩ'ŋkɾɛ]   [i/'kʰɜ]

i-ŋkɾɛ   i-kɜ

3-ovo   3-pele

'ovo (dele)'   'pele (dele)'

Como a oclusiva glotal pode ser derivada por uma regra de inserção,[3] pode-se concluir que a oposição não está entre as oclusivas k / k^h, ou seja, entre a oclusiva velar aspirada e não-aspirada, mas entre k / ŋk.

As consoantes obstruintes nasais

No trabalho de 1999, as seqüências nasais + consoante homorgânica do Apãniekrá foram analisadas em dois tipos: o primeiro tipo seguindo vogal nasal em sílaba aberta[4] (processo de caráter meramente fonético); o segundo tipo, a manifestação de uma nasal, marcada lexicalmente, ocorrendo em interior e em fronteira de palavra (processo de caráter fonológico).

No entanto, uma nova análise pode ser proposta para essa nasal marcada lexicalmente:

(1) [i:'put] 'meu pescoço'[4]   (7) [i:'paɻ] 'meu pé'

---

[3] A regra de inserção da glotal pode ser assim descrita:

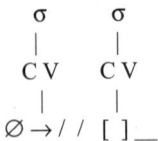

$$\begin{array}{cc} \sigma & \sigma \\ | & | \\ CV & CV \\ | & | \\ \end{array}$$
$$\emptyset \rightarrow / / [\ ] \_\_$$

Em que se lê: sílabas leves (em fronteira morfológica ou de palavra no interior de sintagmas) tornam-se pesadas pela inserção do segmento /.

[4] O caráter meramente fonético do murmúrio nasal pode ser comprovado pela opcionalidade de sua ocorrência: [pĩ'ntʃo] ~ [pĩ'tʃo] 'fruta'; [põ'ŋxɨ] ~ [põ'xɨ] 'milho'.

(2) [a:'puṯ] 'teu pescoço'
(3) [ĩm'puṯ] 'pescoço dele'⁵
(4) [i:'tɔ] 'meu olho'
(5) [a:'tɔ] 'teu olho'
(6) [ĩn'tɔ] 'olho dele'

(8) [a:'paɻ] 'teu pé'
(9) [i/'paɻ] 'pé dele'
(10) [i:'tu] 'minha barriga'
(11) [a:'tu] 'tua barriga'
(12) [i/'tu] 'barriga dele'

[ĩm] em (3), [ĩn] em (6) e [i/] em (9) e (12), são tratados por Popjes (1986, p. 175) como variações do prefixo de 3ª pessoa. O autor, com base na ocorrência de diferentes formas de prefixo de 3ª pessoa, divide as raízes verbais transitivas em cinco subclasses (p.194-195). Assim, i/- ocorre com verbos da subclasse 2, enquanto im- / in- ocorrem com verbos da classe 3 (im- precedendo p, in- nos outros ambientes).

Mas como explicar a ocorrência da nasal em:

[hũ'mɾɛ] 'homem'
[ˌhũ.mɾɛ̃'ntɔ] 'olho do homem'

[rɔp'ti] 'onça'
[ˌrɔp.ʧĩ'ntɔ] 'olho da onça'

Em oposição à ocorrência da glotal em:

[ˌhũ.mɾɛ/'paɻ] 'pé do homem'
[ˌrɔp.ti/'paɻ] 'pé da onça'

No trabalho de Davis (1966), as oclusivas surdas / p t tʃ k / da língua Kanela (Apãniekrá e Ramkokamekrá) aparecem como reflexos de * m n ɲ ŋ , respectivamente, do Proto-Jê **antes de vogal oral**:

* mut → / -put / "pescoço"
*nɔ → / -tɔ / "olho"

* ɲar → / -tʃar / "morder"
* ŋrɛ → / ↓krɛ / "ovo"

Diferentemente de Davis (1966), a análise que aqui se apresenta para o Apãniekrá mostra que as consoantes surdas não seriam derivadas das consoantes nasais do Proto-Jê. Como a pré-nasalização não é provocada pelo

---

⁵ {i:-} 1ª pessoa, {a:-} 2ª pessoa, {i-, h-, ∅} 3ª pessoa.

prefixo de 3ª pessoa, nem pelo possuidor ('homem', 'onça'), mas que ela é parte da consoante inicial do termo inalienável ('pescoço', 'olho'), seria mais plausível considerar que os reflexos de * m, n, ɲ, ŋ estão representados pela série obstruintes nasais em Timbira Apãniekrá (mp, nt, ntʃ, ŋk).

Uma outra análise possível, que é a que propõe o professor Aryon Rodrigues (comunicação pessoal), considera que as obstruintes nasais (mp, nt, ntʃ, ŋk) já estavam na protolíngua (ou seja, já faziam parte do sistema fonológico do Proto-Jê).

A ocorrência das obstruintes nasais está restrita à fronteira de morfema e à fronteira de palavra no interior de sintagmas (nominais e verbais). É importante notar que, nos mesmos ambientes em que ocorrem essas obstruintes, ocorre também o segmento /. No entanto, estão em distribuição complementar:

(C) (C) V ∅ → (C)(C)V m, n, ŋ / __ #   mp, nt, ntʃ, ŋk
         ##
   → (C) (C) V / / __#   p, t, tʃ, k, m, n, h
       ##

Uma outra regra, que apaga segmentos idênticos, teria de se aplicar nas seqüências resultantes mmp, nnt, nntʃ, ŋŋk:

mp, nt, ntʃ, ŋk → p, t, tʃ, k / m, n, ŋ __

Outro dado importante é que os pronomes dependentes de 1ª e 2ª pessoas realizam-se foneticamente como vogais alongadas. Esse alongamento parece ser lexicalizado[6] já que, mesmo diante dos itens lexicais *mput* e *ntɔ* ('pescoço' e 'olho'), /mp nt ntʃ ŋk/ realizam-se [p t tʃ k].

Nos exemplos abaixo, as obstruintes nasais não ocorrem porque a sílaba não termina em vogal:

[ka'hɔ̃j] 'mulher'   ['rɔp] 'cachorro'

[ka.hɔ̃j'tɔ] 'olho da mulher'   [rɔp'tɔ] 'olho do cachorro'

---

[6] A língua apresenta um tipo de alongamento de vogais que pode talvez ser interpretado como um alongamento compensatório. As evidências seriam as outras línguas jê que apresentam uma consoante coronal como parte do pronome de 1ª e 2ª pessoas. Outra hipótese seria considerar esses alongamentos como remanescentes de um sistema vocálico no qual a duração vocálica era distintiva. Um argumento a favor dessa hipótese é que a língua, ainda hoje, apresenta pares mínimos do tipo kuhe "arco" e ku:he "abscesso".

Mas vão ocorrer, categoricamente, se seguirem sílaba leve, nasalizando a vogal tautossilábica:

[aʔ.kʰɾaj'ɾɛ] 'menino' [ɾɔp'ti] 'onça'
[aʔ'kʰɾaj.ɾẽn'tɔ] 'olho do menino' [,ɾɔp.fĩn'tɔ] 'olho da onça'

Os itens lexicais terminados em vogal e que estejam em fronteira morfológica ou de palavra com itens que não sejam iniciados pelas obstruintes nasais, têm sua última sílaba travada pelo segmento /:

[aʔ'kʰɾaj.ɾɛʔ'tu] 'barriga do menino'
[aʔ'kʰɾaj.ɾɛʔ'paɹ] 'pé do menino'

Como a referência à última sílaba do complemento do nome ou do verbo permite prever a ocorrência das consoantes mp, nt, ntʃ, ŋk e, por outro lado, como a ocorrência dessas consoantes estão restritas à fronteira esquerda do núcleo (nome ou verbo), podemos pensar em termos de neutralização e arquifonemas:
Margem esquerda de item lexical quando núcleo de sintagma

fonemas   p, t, tʃ, k, mp, nt, ntʃ, ŋk
arquifonemas $[\ [\ ]_{complemento} + [P, T, Tʃ, K\ /\ \_\_\ V]_{núcleo}\ ]_{SN,\ SV}$

Sílaba

O Timbira Apãniekrá apresenta o seguinte padrão silábico: $(C_1)(C_2)V(C_3)$. As possibilidades de ocorrência dos fonemas neste padrão são:
 – C_1 - todas as consoantes
 – C_2 - w r j
 – C_3 - p, t, k, m, n, w, r, j, h

C_3 só ocupará a posição de coda se não puder ser silabificado como onset da sílaba seguinte.
O onset é um constituinte obrigatório nas sílabas do Apãniekrá, embora excepcionalmente, nas margens da palavra, seja um constituinte opcional: a-pɔn 'piranha', i-tar 'aqui', ah-kɾaj-ɾɛ 'criança', ih-nõ 'outro', aw-kɛ 'esquerdo', am-kɾɔ 'dia', ku-nɛ-a 'todos'.

O onset pode conter um ou dois segmentos. Todo segmento consonantal da língua pode constituir um onset simples: p<u>i</u>t 'sol', ka-<u>p</u>u-ti 'jaó', t<u>ɛ</u>p 'peixe', pɨ-<u>t</u>ẽk 'mutum', t<u>ʃ</u>ɛpɾɛ 'morcego', pĩ-<u>t</u>ʃo 'fruta', <u>k</u>o 'água', kaj-<u>k</u>ər nome masculino, <u>k</u>ɛn 'pedra', wa-<u>k</u>ə 'machado', <u>m</u>ĩ 'jacaré', hũ-<u>m</u>ɾɛ 'homem', <u>n</u>ɛ 'e', pa-ham-<u>n</u>õ 'namorar', <u>ɾ</u>ɔp 'cachorro', ka-<u>ɾ</u>ə 'veado', <u>w</u>a 'l', a-<u>w</u>-ɾɜ 'inajá', ja-kɛp 'cortar', pɨ-je 'mulher', <u>h</u>ĩ 'carne', pi-ka-<u>h</u>uɾ 'correr'.

O onset composto por dois segmentos consiste de uma obstruinte oral, obstruinte nasal ou nasal seguida de ɾ, w ou j: <u>mɾ</u>õ 'mergulhar', a.<u>mj</u>i.kĩn 'festa', <u>pɾ</u>in 'piqui', ka.<u>pɾ</u>o 'sangue', <u>pj</u>e 'chão', <u>pj</u>a.kɾut 'dois', <u>tw</u>əm 'banha', <u>tʃw</u>ər 'banhar', ka.<u>tʃw</u>a 'sal', <u>kɾ</u>ɔ.tɔt.ɾɛ 'puçá', ka.<u>kɾ</u>ɔ 'esquentar', <u>kɾ</u>ɨ 'frio', ku.<u>kɾ</u>ɨt 'anta', <u>kw</u>ər 'mandioca', ka.<u>kw</u>ĩ 'bater'.

A ausência de hw, hɾ, hj, wj, ɾw, jw, mostra que seqüências de segmentos no onset complexo precisam crescer em sonoridade (o quadro abaixo, que divide os segmentos em quatro grandes classes, identifica seus respectivos graus de sonoridade e estabelece, a partir desses valores, uma escala de sonoridade) (CLEMENTS; HUME, 1995):

	[soante]	[aproximante]	[vocóide]	escala de sonoridade
Obstruinte	-	-	-	0
Nasal	+	-	-	1
Glide	+	+	-	2
Vogal	+	+	+	3

As outras seqüências proibidas no onset complexo são * pw, mw, tɾ, tj, nɾ, nj, ɾj, tʃɾ, tʃj, jɾ. Tais segmentos consonantais possuem os seguintes pontos de articulação: pw, mw representam seqüências de segmentos labiais, enquanto tɾ, tj, nɾ, nj, ɾj, tʃɾ, tʃj, jɾ representam seqüências de segmentos coronais. Portanto, as seqüências de segmentos proibidos no onset complexo são as que possuem o mesmo ponto de articulação.

A coda, constituída por um único segmento, pode ser preenchida por qualquer consoante, exceto tʃ, mp, nt, ntʃ, ŋk: ɾɔ<u>p</u>-ti 'onça', tɛ<u>p</u> 'peixe', tu<u>t</u>-kəj nome de mulher, pɜ<u>t</u> 'tamanduá', hɜ<u>k</u>-ti 'gavião', a-te<u>k</u> 'machucar', prũ<u>m</u>-kəj nome de mulher, tʃa<u>m</u> 'levantar', pje<u>n</u>-tʃon 'areia', pi-kɛ<u>n</u> 'dançar', a<u>w</u>-ja-he 'caçar', kɾu<u>w</u> 'flecha', ko<u>j</u>-kwa 'céu', ti<u>j</u> 'velha', ja<u>ɾ</u>-kwa 'boca', pi-kʰɾa<u>ɾ</u> 'assustar', jõ<u>h</u>-to 'língua', mĩ<u>h</u> 'pegue'.

Acento

Na tipologia das regras de acento apresentada em Hayes (1995, p. 31), os sistemas de acento das línguas dividem-se em sistemas rítmicos e morfológicos. Em um sistema de acento rítmico, o acento está baseado em fatores fonológicos como, por exemplo, o peso silábico. Em um sistema morfológico, o acento serve para elucidar a estrutura morfológica da palavra. Freqüentemente, determinada sílaba de uma raiz recebe o acento primário, e os afixos ou são átonos ou recebem um acento fraco.

O Timbira Apãniekrá pertence ao grupo de línguas que apresenta em seu sistema de acento a variedade morfológica: o acento de palavra[7] (qualquer que seja sua classe, nome, verbo, advérbio, pronome, posposição, etc.) cai sempre na última sílaba da raiz:

pa.pja.krút 'nós dois'
[pa.bja'kʰrut]
pa-pjakrut
1incl-dois

pa.ŋkɾé 'nós três'
[paŋ'kɾe]
pa-ŋkɾe
1incl-três

a.mpɔ́.rã 'flor'
[am'pɔ:.ɾɔ̃]
a-mpɔ-rã
gen-algo-flor (clas)

a.mpɔ́.tʃo 'fruta'
[am'pɔ:.tʃo]
a-mpɔ-tʃo
gen-algo-doce (clas)

No entanto, como Hayes (1995, p. 32) faz referência, os sistemas de acento morfológico e rítmico não são manifestados em sua forma pura; a maioria dos sistemas de acento é uma mistura das noções 'morfológica' e 'rítmica'.

O Apãniekrá apresenta inúmeras ocorrências de alongamento de vogais e de consoantes, as quais foram interpretadas ou como motivadas por princípios de silabificação ou por meio da referência direta à estrutura silábica (ALVES, 1999), uma vez que só ocorrem em sílabas abertas:

---

[7] Refiro-me aqui à palavra morfossintática (ou gramatical), composta por uma raiz, mais possíveis realizações de categorias morfossintáticas (como número, pessoa, tempo, modo, aspecto, etc.).

[a/'kʰɾaj.ɾɛj,da:'kɾɛ] [ka.bi:'kʰẽn]
akrajrɛ ita   ŋkɾɛ ka a-pikẽn
menino este   cantar 2 2-dançar(pas)
'este menino canta' 'vocês dançaram'

[hap'pak] 'orelha dele' [pɾat'tʃi] 'melancia'
h-apak pratʃi
3-orelha melancia

No entanto, a ocorrência de segmentos alongados como sendo previsível com base em restrições sobre o número de segmentos ligados à coda, não invalida uma outra hipótese: a de que tais alongamentos possam ser ocasionados por sua ocorrência em constituintes prosódicos maiores. Talvez uma descrição do ritmo lingüístico, feito com base numa observação mais aprofundada da distribuição do acento secundário na língua, possa dar conta desse fenômeno.

Considerações finais

O objetivo deste trabalho foi rever a análise anterior (ALVES, 1999) realizada sobre a língua Timbira falada pelos Apãniekrá. Os aspectos abordados foram descrição e estatuto de certos fonemas e alofones, sílaba e acento. A maior diferença da análise anterior é, sem dúvida, considerar que as seqüências nasal + consoante homorgânica mp, nt, ntʃ, ŋk (observadas apenas em juntura de morfema ou de palavra no interior de sintagmas) representam a série das obstruintes nasais na língua.

Por outro lado, com relação à reconstrução da protolíngua, duas hipóteses são levantadas:

1) encontradas atualmente na língua Timbira, a série das obstruintes nasais podem ser analisadas como possíveis desdobramentos das nasais m, n, ɲ, ŋ do proto-jê quando estas ocorrem no onset de sílaba com núcleo oral (o que não foi previsto na análise de Davis, 1966);
2) mp, nt, ntʃ, ŋk (ao lado da série das obstruintes (orais) e das soantes nasais) já faziam parte do sistema fonológico da protolíngua e que, portanto, teriam se mantido no Timbira.

Referências

ALVES, F. C. *Aspectos fonológicos do Apãniekrá (Jê)*. Dissertação de Mestrado. São Paulo: FFLCH/USP, 1999.

CLEMENTS, G. N.; HUME, E. V. The internal organization of speech sounds. In: GOLDSMITH, J. (Org.). *The Handbook of phonological theory*. Londres: Basil Blackweel, 1995.

DAVIS, I. Comparative Jê Phonology. Estudos Lingüísticos – *Revista Brasileira de Lingüística Teórica e Aplicada1*(2), 1966.

HAYES, B. *Metrical stress theory: principles and case studies*. Chicago/Londres: University of Chicago, 1995.

MELATTI, J. C. www.socioambiental.org/website/pib/epi/ timbira/aspectos.shtm, 1999.

NIMUENDAJÚ, C. *The eastern Timbira*. University of California Publications in American Archaelogy and Ethnology, vol.XLI, University of California Press, Berkely and Los Angeles, 1946.

POPJES, J.; POPJES, J. The Canela-Kraho. In: DERBYSHIRE, (Org.). *Handbook of Amazonian Languages*, 1986.

Dissimilação de sonoridade em Boróro: uma abordagem com base no princípio do contorno obrigatório

Adriana M. S. Viana (IL, Lali–Universidade de Brasília)

Introdução

Este trabalho tem como objetivo discutir um fenômeno fonológico bastante comum em Boróro,[1] aqui denominado *dissimilação de sonoridade*, já observado por vários autores que estudaram a língua (cf. COLBACCHINI, 1925; COLBACCHINI; ALBISETTI, 1942; ALBISETTI; VENTURELLI, 1962; TROMBETTI, 1926, CROWELL, 1977, 1979).

Segundo Crowell (1977, 1979), esse processo – chamado por ele de *sonorização* – afeta basicamente as primeiras consoantes surdas das raízes da língua, quando estiverem precedidas por certos marcadores pessoais e pode ser desencadeado, em alguns contextos, (i) por consoantes surdas presentes nesses marcadores ou, em outros contextos, (ii) por qualquer marcador pessoal, tenha ele uma consoante surda ou não.

Neste trabalho, pretendemos apresentar uma análise que contemple todos os casos de sonorização de forma única, tratando todos eles como casos *de dissimilação de sonoridade*. Para tanto, tivemos de recorrer a alguns processos de reconstrução de formas que se supõe terem existido em estágios anteriores da língua.

A base teórica para essa análise é a Fonologia Autossegmental, proposta inicialmente por Goldsmith (1976)[2] (cf. HERNANDORENA, 1996) e desenvolvida, posteriormente, por Clements; Hume (1995).

Os dados analisados são provenientes, em sua maioria, de trabalho de campo realizado em dezembro de 2002 e maio de 2003, com falantes da aldeia Merúri e, em menor proporção, dos trabalhos de Ochôa (1997, 2001).

---

[1] Língua indígena brasileira, pertencente ao tronco lingüístico Macro-Jê e à família Boróro (cf. GUÉRIOS, 1939; RODRIGUES, 1986, 1993), falada pelos índios de igual denominação, que habitam seis áreas indígenas localizadas no estado de Mato Grosso.

[2] GOLDSMITH, J. *Autosegmental Phonology*. Cambridge, CUP, 1976.

Quadro teórico

Conforme já apontado na introdução, este trabalho foi desenvolvido sob a perspectiva da Fonologia Autossegmental. A diferença básica entre essa teoria e as teorias que a antecederam é o fato de que ela opera não só com segmentos completos e com matrizes inteiras de traços, mas também com autossegmentos. Isso quer dizer que ela permite uma segmentação independente de partes dos sons das línguas. Como conseqüência dessa nova abordagem, a Fonologia Autossegmental entendeu que (i) não há uma relação bijetiva (de um-para-um) entre o segmento e o conjunto de traços que o caracteriza e que (ii) o segmento apresenta uma estrutura interna, hierarquicamente organizada.

O fato de essa teoria propor que não há uma relação bijetiva entre um segmento e o conjunto de traços que o caracteriza tem por efeito as seguintes conclusões: (i) os traços podem se espalhar para além ou aquém de um segmento e (ii) o apagamento de um segmento não implica necessariamente o desaparecimento de todos os seus traços.

Quanto à observação de que o segmento apresenta uma estrutura interna, a Fonologia Autossegmental passou a analisar os segmentos em camadas ou *tiers*. Assim, uma regra pode se aplicar ao *tier* [nasal], ao *tier* [contínuo] ou, como no caso do Boróro, que veremos em seguida, ao *tier* [sonoro].

Hernandorena (1999, p. 46) observa que

> na concepção da geometria de traços fonológicos adotada por Clements (1985, 1991), os traços que constituem os segmentos que estão no mesmo morfema são adjacentes e formam uma representação tridimensional que permite distinguir o *tier* da raiz, o *tier* da laringe, o *tier* dos pontos de consoantes (pontos de C), por exemplo.

Segundo os autores, qualquer som da fala pode ser representado segundo o modelo apresentado em (1).

Uma restrição importante da Fonologia Autossegmental é a seguinte:

- As regras fonológicas constituem uma única operação.

Segundo essa restrição, são naturais regras que se referem a traços individuais ou a nós de classe. A restrição implica ainda que somente conjuntos de traços que tenham um nó de classe em comum podem funcionar juntos em regras fonológicas.

Inventário fonológico

Vogais

Confirmando a análise de Crowell (1977, 1979), verificamos que o Boróro possui sete vogais, conforme o quadro abaixo:

i	ɨ	u
e	ɜ	o
	a	

Sobre esse quadro, dois aspectos chamam-nos particularmente a atenção. O primeiro deles é o fato de não haver distinção, do ponto de vista fonológico, no que se refere à abertura das vogais médias. Pelo que pudemos observar, a diferença entre /o/ e /ɔ/, por um lado, e /e/ e /ɛ/ por outro, não é relevante para o sistema fonológico da língua e, conforme Crowell (s/d) já havia observado, a variação de abertura constatada pode ser analisada como uma distinção fonética, apenas. Assim, uma palavra como 'morreu', por exemplo, pode ser pronunciada como /okwaɾe/ ou /ɔkwaɾe/:

(2) /i'medʊ ɔ'kwaɾe/ 'o homem morreu'
(3) /'bwɛ ɛto'ɾɛ o'kwaɾe/ [3] 'o menino morreu'

Outra variação que podemos verificar é com relação à pronúncia da palavra 'mulher', que pode alternar entre /a'ɾedʊ/ e /a'ɾɛdʊ/:

(4) /aɾɛdʊ ɟokʊ/ 'olho da mulher'
(5) /aɾedʊ ɔkwaɾe/ 'a mulher morreu'

Os contextos fonológicos que condicionam uma ou outra realização ainda não estão claros para nós e, portanto, ainda estão sendo objeto de nossa investigação.

Uma observação importante a fazer sobre o quadro de vogais é que ao lado do Yatê, o Boróro é a única língua do tronco Macro-Jê que não apresenta

---

[3] **boe**   e=t-ore
gente (plural) 3P=REL-criança/filho
Lit.: 'filho de gente'

vogais nasais (cf. RODRIGUES, 1999). Contudo, conforme veremos mais adiante, é possível reconstruirmos pelo menos algumas dessas vogais no sistema fonológico de um estágio anterior da língua.

Consoantes

Também concordando com Crowell (1977, 1979), observamos que o Boróro apresenta um quadro de 13 consoantes, conforme apresentado a seguir:

p	t	c	k
b	d	ɟ	g
m	n		
w	ɾ	j	

A esse respeito, o que é interessante ressaltar é que, se por um lado existe uma simetria entre as consoantes obstruintes — quatro surdas e quatro sonoras, distinguindo os pontos de articulação labial, alveolar, palatal e velar — o mesmo paralelismo não pode ser observado se compararmos as obstruintes, de um lado, e as soantes, de outro. As nasais, por exemplo, são apenas duas, não fazendo parte do sistema consonantal do Boróro nem a nasal palatal, nem a nasal velar. As aproximantes, por sua vez, perfazem três elementos, sendo um labial, um alveolar e um palatal.

Outra observação quanto às consoantes é que, assim como boa parte das línguas do tronco Macro-Jê, o Boróro não possui a série fricativa (cf. RODRIGUES, 1999).

Ainda com relação às consoantes, é importante observarmos que em Boróro ocorre um processo bem geral de lenização,[4] que afeta quase todos os segmentos consonantais da língua. As obstruintes surdas, por exemplo, em contextos específicos,[5] passam a obstruintes sonoras. Dessas, /b/ e /ɟ/ tornam-se *glides* — /w/ e /j/, respectivamente, não sendo afetados os segmentos /d/ e /g/. Os segmentos que não sofrem mudança em virtude dos processos de lenização são as consoantes nasais e as aproximantes.

Assim, em certos contextos definidos, /p/ passa para /b/, que passa para /w/; /t/ passa para /d/; /c/ passa para /ɟ/, que, por sua vez passa para /j/;

---

[4] O próprio processo de sonorização é analisado como uma lenização.
[5] Não detalharemos todos esses contextos neste trabalho, mas só aqueles que envolvem o processo de sonorização.

por fim, /k/ passa para /g/. Contudo, ainda assim, pode-se ainda falar em 13 consoantes, dados os exemplos abaixo:

(6) /p/, /b/ e /w/:
 a. /paj/ 'bugio' (variedade de macaco)
 b. /baj/ 'casa'
 c. /waj/ 'jacaré'

(7) /t/ e /d/
 a. /atugo/ 'malha, pinta, desenho, pintura, tatuagem'
 b. /adugo/ 'onça'

(8) /k/ e /g/
 a. /ɟuko/ 'macaco'
 b. /ɟugo/ 'queixada'

(9) /ɟ/ e /j/
 a. /ɟeɾa/ 'risco / desenho'
 b. /jeɾa/ 'mão'

O processo de dissimilação

Segundo Crowel (1977, 1979), nesse processo, as consoantes surdas iniciais das raízes tornam-se sonoras quando precedidas de marcadores pessoais. O autor observa que em alguns casos, é necessário que o marcador pessoal tenha também uma consoante surda para que o processo seja desencadeado, já em outros, essa exigência não é observada.

Ele salienta ainda que quando a primeira consoante da raiz é o elemento afetado, a presença da consoante surda é requerida, mas quando o alvo do processo é a segunda consoante da raiz, não se faz mais necessária a presença da consoante surda no marcador pessoal.

Marcadores pessoais

Conforme já apontamos anteriormente, os elementos desencadeadores do processo de sonorização parecem ser os marcadores pessoais. Contudo, é importante observar que somente os marcadores apresentados no quadro a seguir — que indicam (i) posse inalienável e (ii) argumentos do verbo e da posposição — é que entram nesse jogo, ficando de fora os marcadores de posse alienável e os utilizados para determinar a posse de animais domésticos.

Quadro 1: Marcadores pessoais

Pessoa	Marcador
1S	i
2S	a
3S	u ~ ɟ ~ ∅
1P (incl)	pa
1P (excl)	ce
2P	ta
3P	e

A dissimilação e o OCP

O primeiro caso a analisarmos é o das raízes iniciadas por consoantes surdas. Nesse caso, o que ocorre é que, ao ser precedida por um marcador pessoal que contenha uma consoante também surda, a primeira consoante da raíz, que é surda, vai se sonorizar. Esse é um processo que afeta raízes verbais, nominais e posposições, como podemos observar em (1), a seguir: [6]

(10)	Pessoa	Com raiz nominal	Com raiz verbal	Com posposição
		kana 'braço'	tu 'ir embora'	to 'dentro'
a.	1S	i=kana	i=tu mode[1]	i=to
b.	2S	a=kana	a=tu mode	a=to
c.	3S	∅=kana	u=tu mode	∅=to
d.	1P (incl)	pa=gana	pa=du mode	pa=do
e.	1P (excl)	ce=gana	ce=du mode	ce=do
f.	2P	ta=gana	ta=du mode	ta=do
g.	3P	e=kana	e=tu mode	e=to

6 O morfema **mode**, indica, nesse contexto, futuro.

Conforme podemos observar nos dados apresentados anteriormente, a consoante surda de uma raiz — /k/ e /t/ — se sonoriza sempre que precedida de um marcador que contenha também uma consoante surda. Isso é que podemos verificar nos exemplos (11d-f).

Contudo, esse é um processo que pode afetar não apenas raízes, mas também o marcador de negação **ka**, conforme podemos observar nos dados a seguir:

(11)a. **Aki   a=modu=ka=re   a=ce   bie**   (OCHÔA, 2001, p. 66)
você   2=TAM=NEG=TAM   2=mãe   avisar
'Você não vai avisar a sua mãe?'

b.   **pa=ga=re   bito**
1P(incl)=NEG=TAM   matar
'Nós não matamos.'

Observa-se também esse mesmo processo afetando os prefixos relacionais[7] da língua.[8] No caso de posse alienável, a série de marcadores pessoais precede o relacional que, por sua vez, precede a marca de alienabilidade, formando uma só unidade fonológica:

(12)	Pessoa		Relacional	Alienabilidade
a.	1S	I	n	o
b.	2S	A	k	o
c.	3S	∅	∅	o
d.	1P (incl)	Pa	g	o
e.	1P (excl)	Ce	n	o
f.	2P	Ta	g	o
g.	3P	E	n	o

---

[7] Trata-se de uma série de prefixos flexionais, propostos por Rodrigues (1953) que tem como função marcar "as relações de dependência e contigüidade sintática entre termos ou expressões determinantes e os núcleos por estes determinados" (cf. CABRAL, 2000, p. 233).

[8] Na verdade, o que estamos chamando de "relacional" é apenas um vestígio do que pode ter sido um prefixo relacional num estágio anterior da língua, já que atualmente, o Boróro não distingue nomes determinados contiguamente e não contiguamente. Assim, temos **Koge Atugo o tugo**, 'a flecha de Koge Atugo' e **o tugo**, 'flecha dele', sendo esse **o** a marca de alienabilidade, podendo significar 'coisa'. Assim, **i=n=o** sem referência a nenhum objeto específico pode significar 'minhas coisas' / 'meus pertences' (cf. RODRIGUES, 2000, p. 229) ou 'é meu'.

Notemos que, nos exemplos anteriores, quando a forma do prefixo relacional é uma consoante surda (13b), ele se sonoriza automaticamente ao ser precedido por um marcador pessoal que contenha também uma consoante surda. Isso é que podemos notar em (13d, f).

Os dados mencionados revelam que se trata claramente de um caso de *dissimilação*, processo pelo qual sistematicamente um ou mais traços de um segmento sofre mudança em virtude de estar adjacente a um ou mais traços idênticos a ele. No caso específico do Boróro, o traço em questão é o [voz] (ou [sonoro]). Assim, o traço [-voz] de um segmento passa automaticamente a [+voz] quando antecedido pelo traço também [-voz] de um outro segmento. Isso é o que podemos observar na representação da palavra **pago** 'nosso':

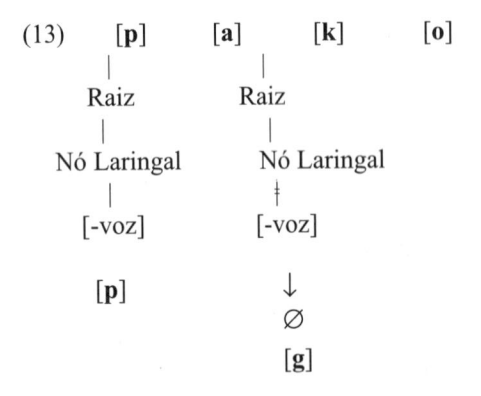

(13)   [p]   [a]   [k]   [o]
        | |
       Raiz   Raiz
        | |
    Nó Laringal Nó Laringal
        | ǂ
      [-voz]   [-voz]

       [p]   ↓
                  ∅
                 [g]

Como apontam vários autores, entre eles McCarthy (1986) e Clements; Hume (1995), a dissimilação é um fenômeno que pode ser observado em várias línguas e que, na maioria dos casos, é motivado pelo Princípio do Contorno Obrigatório (OCP), princípio proposto inicialmente por Leben (1973)[9] e desenvolvido por McCarthy (1986), cuja formulação é apresentada em (14), a seguir (cf. CLEMENTS; HUME, 1995, p. 262).

(14) *Princípio do contorno obrigatório*
Elementos adjacentes idênticos são proibidos.
Hernandorena (1996, p. 66) observa que:

> O OCP pode proibir não só segmentos adjacentes idênticos, mas também traços ou nós adjacentes idênticos em um dado *tier*, bem como regras que possam criar violações a esse princípio.

---

[9] LEBEN, W. *Suprassegmental Phonology*. MIT, tese de doutorado, 1973.

Assim, em atenção a (14), simplesmente podemos concluir que o OCP se aplica em função de haver em um mesmo *tier* — o *tier* [sonoro] — dois traços adjacentes idênticos: o traço [-voz]. Logo, para que o OCP seja satisfeito, é necessário que um dos traços seja modificado e isso é o que ocorre com o traço [-voz] do segundo segmento, que é desligado, o que torna o segmento sonoro.

Ainda observando a representação em (14), notamos que, diferentemente do que acontece no processo de sonorização em japonês, conhecido como *Rendaku*, (MESTER; ITÔ, 1989), o traço subespecificado é o [-voz]. Em japonês, conforme ilustrado nos exemplos abaixo, a consoante inicial do segundo membro de um composto deve se sonorizar (cf. ITÔ; MESTER, 1986):[10]

(15) *Rendaku* (MESTER; ITÔ, 1989, p. 277):

   a. **ori + kami → origami**
       'dobra'   'papel' → 'papel de origami'

   b. **onna + kokoro → onnagokoro**
       'mulher'   'coração' → 'sentimentos femininos'

Segundo os autores, o *Rendaku* é concebido como um morfema autossegmental que consiste de um traço de sonorização, que é associado ao segmento inicial do segundo membro dos compostos:

(16)   onna + kokoro
      [+voz]

       onnagokoro

O *Rendaku*, no entanto, é bloqueado pela Lei de Lyman (18) (uma condição que proíbe múltiplas consoantes obstruintes em um morfema), quando o segundo membro do composto já contém uma obstruinte sonora (19) (cf. MESTER; ITÔ, 1989, p. 277):

(17) Lei de Lyman: [+voz] → ∅ _____ [+voz]

(18) Lei de Lyman

   a. **kita + kaze → kitakaze (*kitagaze)**
       'norte' 'vento' → 'vento do norte'

   b. **onna + kotoba → onnakotoba (*onnagotoba)**
       'mulher' + palavras' → 'fala feminina'

---

[10] ITÔ, J.; MESTER, A. "The phonology of voicing in Japanese", *Linguistic Inquiry*, 15 p. 505-513, 1986.

Vejamos a representação da Lei de Lyman, segundo Mester; Itô (1989):

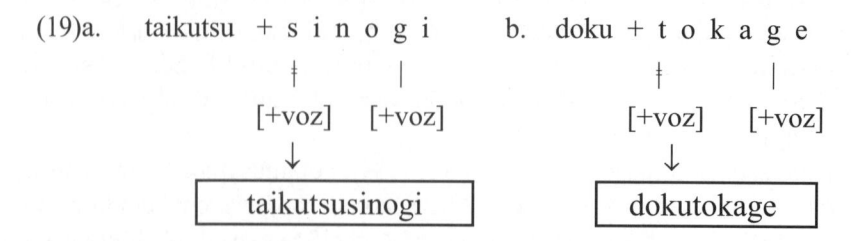

(19)a. taikutsu + s i n o g i b. doku + t o k a g e

     † | † |
    [+voz] [+voz]   [+voz] [+voz]
     ↓   ↓
   | taikutsusinogi | | dokutokage |

Os autores observam que os exemplos mostram que esta análise está intimamente relacionada à ausência de subespecificação de todos os valores previsíveis do traço [voz], incluindo o traço redundante [+voz] para as soantes e o traço [-voz] para as obstruintes. Eles observam ainda que em 1986, eles propuseram que a Teoria da Subespecificação Radical prevê imediatamente, de uma forma unificada, a transparência das soantes e das obstruintes surdas para a aplicação da Lei de Lyman (20).

A esse respeito, Mester; Itô (1989) observam que a subespecificação requerida poderia ser por causa da característica unária intrínseca do traço monovalente [voz]. Contudo, como observa Pulleyblank (1995), se, conforme proposto por Peng (1991),[11] o traço [voz] precisa ser binário, então, casos como os do *Rendaku* levantam a possibilidade de um traço binário ser subespecificado.

No caso do Boróro, se voltarmos a (14), temos de aceitar que o traço subespecificado é o traço [-voz] e que, se este for desligado, o segmento automaticamente se sonoriza. A esse respeito, gostaríamos de observar mesmo considerando os argumentos de Maddieson (1984),[12] para propor que o traço [-voz] não pode ser subespecificado, essa é a melhor análise de que dispomos no momento para os dados do Boróro.[13] Assim, não podemos concordar com Mester; Itô (1989) quando eles propõem que o traço [voz] é unário.

Esse processo é categórico no que se refere à combinação de raízes e marcadores pessoais, o que mostra que o OCP, nessa língua, é um princípio ativo. Já com relação ao léxico, o que podemos notar é que com pouquíssimas exceções — como as apresentadas em (21), abaixo — a língua não aceita raízes constituídas de seqüências de consoantes surdas. Fazendo uma busca minuciosa em nossos dados e no dicionário Boróro-Português organizado por

---

[11] (apud Pulleyblank, 1995).

[12] (apud Mester; Itô, 1989).

[13] O principal argumento de Maddison é o de que a presença de uma série de obstruintes sonoras implica a presença de uma série correspondente de obstruintes sonoras, mas não o contrário.

Ochôa (1997), não encontramos mais que meia dúzia de palavras que aceitam tal constituição. São elas:

(20) a. **koco** 'caju'
　　b. **ipocereu** 'irara'
　　c. **kicagigi** 'muito seco, muito frágil'
　　d. **kocaga** 'saracura'
　　e. **kukaga** 'lagartixa'

　　Contudo, observando mais atentamente a constituição dessas palavras, podemos notar que **ipocereu** é um composto formado por uma raiz **ipo**, cujo significado ainda não sabemos, e **cereu**, que significa 'preto' ou 'escuro'. A irara, por sua vez, é um mamífero de cor preta ou escura. A palavra **kicagigi** também parece ser um composto, podendo ser identificada a raiz **ki** em sua constituição, cujo significado é 'seco'. Restam, portanto, apenas as palavras **koco**, **kocaga** e **kukaga**, cuja análise morfológica deverá ser feita a fim de que possamos saber se também se tratam de compostos ou se são exceções à regra. A esse respeito, o que observamos é que o OCP realmente não parece ser um princípio ativo com relação à formação e compostos. Além dos dados anteriores, temos os de (21), que não deixam dúvidas:

(21)　　**ku-kuri**
　　　　grande-barriga
　　　　'barrigudo'

　　Essa quantidade de dados mostra que apesar de a língua aceitar um padrão em que duas consoantes surdas se sucedem, esse não é o quadro mais comum. Pelo contrário, trata-se de um padrão raro na língua. Pode ser, então, que o OCP esteja agindo na organização geral do léxico e, nesse caso, de forma passiva (sem provocar ou bloquear processos). Contudo, pode ser que ele não esteja atuando nessa língua como um princípio no sentido estrito da palavra — que não pode ser violado —, mas como uma forte restrição, que em algumas situações pode ser desrespeitada. Talvez uma abordagem como a Teoria da Optimalidade — OT (McCARTHY; PRINCE, 1993; PRINCE; SMOLENVSKY, 1993)[14] possa explicar melhor o que está ocorrendo com o Boróro.

---

[14] McCARTHY, J.; PRINCE, A Prosodic Morphology I: constraint interaction and satisfaction. ms. Rutgers University, 1993.
PRINCE, A.; SMOLENSKY, P. *Optimality theory*: constraint interaction in generative grammar. RuCCs Technical report 2. (a sair: MIT Press), 1993.

Segundo a OT, certos padrões e propriedades que são encontrados de forma recorrente nas línguas são universais e que, portanto, fazem parte do conhecimento lingüístico inato. Contudo, nem todos os universais se manifestam da mesma forma em todas as línguas. Assim, segundo essa proposta, afirma-se que uma propriedade é pouco marcada em termos de universalidade quando sua presença é significativa na língua. Por outro lado, diz-se que uma propriedade é muito marcada quando sua ocorrência em determinada língua é mínima ou nula. Assim, as restrições que operam nas línguas são universais, mas sua organização hierárquica varia de língua para língua. Contudo, esse foi um caminho que ainda não percorremos, mas que pode ser buscado nos próximos passos de nossa pesquisa.

Salientamos ainda que o OCP parece ser completamente inativo nas onomatopéias, aparentemente formadas com base em processos de reduplicação, como podemos observar em (22):

(22) a. **kaikai** 'variedade de coruja'

b. **keaokeao** 'variedade de gralha'

Assim, generalizando, podemos afirmar que em Boróro o OCP é categórico nos processos de flexão, levemente violável na organização do léxico e inativo nos processos de derivação. Essa generalização explica, por exemplo, por que a partícula negativa **ka** pode ser afetada pelo processo de sonorização quando antecedida por marcadores pessoais[15] (12), mas não pode desencadear o processo quando estiver modificando uma raiz nominal:

(23) a. **ko** 'fundo'

b. **ko=ka** 'não fundo / raso'

É importante ressaltar que a restrição de adjacência de traços iguais no *tier* [sonoro] se aplica de maneira mais categórica quando os traços são marcados negativamente. Assim, a ocorrência de duas obstruintes sonoras na constituição das raízes, apesar de não ser encontrada em grande escala na língua, é mais comum que a ocorrência de duas surdas. Isso é o que podemos notar nos exemplos como os de (24), a seguir:

(24) a. **adugo** 'onça'

b. **jugo** 'queixada'

c. **gugo** 'azedume'

---

[15] Os marcadores pessoais podem ser interpretados como flexão de pessoa.

Dessa forma, o que parece estar em jogo é a proibição de duas obstruintes que possuam a mesma especificação para o traço de sonoridade no *tier* [sonoro].

Outros casos de sonorização

O papel do traço [+soante] na dissimilação

Conforme apontamos no início deste artigo, Crowell (1977) observa que quando a segunda consoante é o alvo da sonorização, não é mais necessária a presença de uma consoante surda como elemento desencadeador do processo. Isso é verdade somente quando a primeira consoante é /m/, /ɾ/ ou /w/, ou seja, quando se trata de uma consoante especificada com o traço [+soante]. Vejamos os exemplos a seguir:

(25)

	mako 'falar'	**roko** 'arrotar'
a.	i=mago=re	i=rogo=re
b.	a=mago=re	a=rogo=re
c.	∅=mako=re	∅=roko=re
d.	pa=mago=re	pa=rogo=re
e.	ce=mago=re	ce=rogo=re
f.	ta=magore=re	ta=rogo=re
g.	e=magore	e=rogo=re

Essas consoantes, por não terem especificação quanto ao traço de sonoridade, já que têm vozeamento espontâneo, são transparentes para a aplicação da regra de sonorização. Em outras palavras, o que estamos dizendo é que não faz sentido especificar essas consoantes como [+voz] ou como [-voz] já que são segmentos naturalmente vozeados. Sendo assim, elas se tornam invisíveis ao processo, já que ele só afeta alvos com esse tipo de especificação.

Outro processo bastante comum em Boróro é a formação dos *glides* /w/ ~ /ʊ/ e /y/ a partir das formas /b/ e /ɟ/, respectivamente, se forem precedidos de marcadores pessoais. Isso é o que acontece com a palavra **bapo** que, precedida pelo marcador **i**, por exemplo, muda para ***wapo**, ficando ***i=wapo**.[16]

---

[16] Não discutiremos nesse momento o processo de formação de *glides*.

Essa forma, contudo, não existe na superfície, pois a primeira consoante surda da forma *****wapo** vai ser afetada pelo processo de sonorização, como podemos observar em (26):

(26) **bapo** 'coração'
   a. **i=wabo**
   b. **a=wabo**
   c. **∅=bapo**
   d. **pa=wabo**
   e. **ce=wabo**
   f. **ta=wabo**
   g. **e=wabo**

Isso ocorre pelo fato de a primeira consoante da raiz, após ter sido alvo do processo de formação de *glide*, ser /w/, uma consoante [+soante], sem, contudo, especificação para o traço de sonoridade.

O mesmo pode ser observado, por exemplo, na expressão 'língua de Boróro':

(27) a. **bataro**
     'palavra / língua'

   b.   **boe**   **e=wadaro**
      boróro (pl)   3PL=palavra
      'língua de Boróro'

O prefixo relacional como desencadeador do processo de sonorização

Observando somente dados como os apresentados em (26) e (27), nós poderíamos nos perguntar se seria possível que elementos tão diferentes — consoantes surdas e vogais — estivessem desencadeando um mesmo processo. Pensando mais atentamente sobre essa questão e observando com mais rigor nossos dados, pudemos observar que não somente a consoante surda do marcador pessoal pode desencadear o processo de sonorização, mas também o prefixo relacional, que é um morfema flexional. Isso é o que constatamos em dados como os apresentados em (28):

(28) a   **muga / ce** 'mãe'
    b   **i=muga** 'minha mãe'
    c   **a=ce** 'sua mãe'

d   u=ce 'mãe dele'
e   pa=ɟe 'nossa mãe' (incl)
f   ce=ɟe 'nossa mãe' (excl)
g   e=t-uɟe 'mãe deles'

Em (29), o que observamos é que somente em (f) o processo de sonorização ocorre e é justamente nesse dado que constatamos a presença do prefixo relacional **t-**. Esse elemento pode ser, então, tanto alvo, como vimos anteriormente, como desencadeador do processo de sonorização.

Quanto à origem desse elemento, Rodrigues (1993) propõe que provavelmente, o prefixo relacional em Boróro era, originalmente, um **y** e entre as mudanças fonológicas que ocorreram na língua, resultando em sua forma atual, terão ocorrido os seguintes processos:

(a) assimilação progressiva de [+post]:[17] y → w
(b) oclusivização de *glides*: y→ t; w → k
(c) nasalização de alveolar diante de vogal nasal:[18] t → n
(d) desnasalização da vogal nasal: õ → o

Observemos esses processos nos dados abaixo (RODRIGUES, 1993):[19]

(30) a. *i=y-o → i=t-o 'meu dente' (b)
  b. *a=y-o → *a=w-o → a=k-o 'seu dente' (a, b)
  c. *i=y-õ → *i=t-õ → *i=n-õ → i=n-o 'minhas coisas' (b, c, d)
  d. *a=y-õ → *a=w-õ → *a=k-õ → a=k-o 'suas coisas' (a, b, c, d)

Entre outras coisas, essa hipótese explicaria ainda, por exemplo, as diferentes origens das palavras 'coisa' e 'dente' na língua.

De acordo com o autor, a mudança de **y** → **w** e vice-versa é bem conhecida, por exemplo, no tronco Tupi. Segundo ele, compara-se o **y** pré-vocálico Tupí-Guaraní com o **w** do Tupari: Tupinambá **yaku**, Tupari **wako** 'jacu'. Também a correspondência entre **y**, **t** e **k** é familiar no domínio Tupi: o Aweti tem **k** correspondendo ao **y** do Tupi-Guarani nesse contexto: Tupinambá **yɨ** e Aweti **kɨ** 'machado'.

---

[17] Na terminologia de Clements; Hume (1995), [dorsal].
[18] Como já vimos, atualmente, o Boróro não possui vogais nasais, mas segundo essa proposta, elas podem ter existido num estágio anterior da língua, tendo deixado como vestígio a nasalização do prefixo relacional /t/.
[19] Para cada exemplo, indicamos, com uma letra, o(s) processo(s) envolvido(s).

Tendo como base a proposta de Rodrigues (1993) para a origem dos relacionais do Boróro e dados como os apresentados em (28), levantamos a hipótese de que seria possível imaginarmos que uma das marcas deixadas pelo antigo prefixo relacional do Boróro, em sua fase surda, foi o desencadeamento do processo de dissimilação de sonoridade nas raízes.

Assim, poderíamos supor que, em princípio, o prefixo relacional surdo,[20] antes sempre presente, mesmo em dados como em (26) e (27), hoje aparentemente carentes desse elemento, em obediência ao OCP, tenha provocado a sonorização da primeira consoante da raiz. Dessa forma, podemos imaginar que em alguma fase do Boróro, uma forma como **i=wabo** pode ter tido um prefixo relacional entre o marcador de pessoa e a raiz, sendo a sua estrutura como em (31), a seguir:

(31)   **i=C-wabo**[21]

   1s=REL-coração

   'Meu coração'.

Contudo, em casos como o de (30), acima, não se pode postular a existência do mesmo prefixo relacional encontrado nos outros dados, já que no estágio atual da língua, dados como esse se mostram diferentes daqueles que ainda preservam os prefixos. Uma hipótese a ser explorada é a de ter havido um alomorfe desse relacional **k** (antigamente **y**), que se combinava com as raízes que hoje observamos ligadas diretamente aos marcadores pessoais. É provável que esse alomorfe tenha sido uma consoante glotal surda que, ao desaparecer do sistema fonológico da língua, não tenha deixado nenhum vestígio, a não ser a sonorização das consoantes das raízes iniciadas por /m/, /ɾ/, /w/ e vogais (com exceção das apontadas por Rodrigues (1993)) — segmentos não especificados com o traço de sonoridade.

De acordo com esse autor, na fase atual, o relacional é **k** diante de todos os temas iniciados por vogal anterior e que diante dos temas iniciados por vogal posterior, a consoante só é **k** quando o marcador de pessoa termina em vogal posterior e é **t** quando a vogal do marcador é anterior. Nos outros casos, o marcador pessoal se liga diretamente à raiz.

Essa hipótese, contudo, deve ser mais bem investigada, trabalho que só será possível ser realizado se compararmos dados do Boróro com línguas da mesma família (Umutína e Otuke, por exemplo) e do mesmo tronco.

---

[20] Ou em sua fase surda.

[21] C (consoante).

Em (32), a seguir, apresentamos mais uma evidência para a hipótese de que o prefixo relacional é elemento que primeiramente desencadeia o processo de sonorização. Isso é o que podemos constatar em (32 a, b, d e e).[22]

(32) **okwa** 'boca'
  a. **i=n-ogwa** 'minha boca'
  b. **a=k-ogwa** 'sua boca'
  c. **∅=∅-okwa** 'boca dele'
  d. **ce=n-ogwa**
  e. **e=n-ogwa** 'boca deles'

Nos dados anteriores, observamos que o relacional é precedido por uma vogal e que em função disso, esse elemento, quando surdo, não sofre sonorização. Contudo, se os marcadores pessoais forem **pa**, ou **ta** os relacionais vão se sonorizar também.[23]

(33)a. **pa=g-ogwa** 'nossa boca' (incl)
  b. **ta=g-ogwa** 'boca de vocês'

Essa é mais uma evidência de que se trata, de fato, de um processo de dissimilação de sonoridade e que só pode ser desencadeado por uma consoante surda, seja como um prefixo relacional, seja na constituição de um marcador pessoal.

Em aberto

Uma pergunta que nos colocamos com relação a essa hipótese é por que o relacional é encontrado com algumas raízes e com outras não. Em casos como **i=kana** 'meu braço', aparentemente não se pode afirmar que haja um prefixo relacional na estrutura, a não ser que suponhamos (i) que ele seja um /k/ e que, por isso tenha se fundido com a primeira consoante da raiz ou (ii) que ele tenha sido, em uma fase anterior da língua, uma consoante glotal surda, que desapareceu, ou, simplesmente, ∅.

Essas são hipóteses ainda não testadas e que deverão fazer parte de nossa pesquisa.

---

[22] É importante lembrarmos que o relacional /n/, num estágio anterior, foi /t/ segundo a proposta de Rodrigues (1993). Portanto, foi ele quem provocou a sonorização da consoante /k/ da raiz.

[23] No caso de o relacional ser /t/ na primeira pessoa do singular, a presença do marcador **ce** (1PL excl) também vai provocar a sonorização desse elemento. Isso é o que acontece em dados como (i):
  (i)a. **ao** 'cabeça'
  b. **i=t-ao** 'minha cabeça'
  c. **ce=d-ao** 'nossa cabeça (excl)'

Considerações finais

Este trabalho teve como principal objetivo mostrar que o processo de sonorização — observado por Colbacchini (1925), Colbacchini; Albisetti (1942), Albisetti; Venturelli (1962) e Trombetti (1926) e descrito por Crowell (1977, 1979) — pode ser analisado como um único processo, motivado pela obediência ao Princípio do Contorno Obrigatório (OCP) e desencadeado sempre por consoante surda.

Essa análise tem como vantagem em relação a de Crowell (1977, 1979), por um lado, ter apontado uma unificação da análise do processo e, por outro, ter trazido à tona a análise dos prefixos relacionais do Boróro, não tratados anteriormente por outros autores que estudaram a língua, a não ser por Rodrigues (1993, 1999, 2000).

Referências

ALBISETTI, C.; VENTURELLI, A. J. *Enciclopédia Boróro*, v. 1. Campo Grande, Museu Regional Dom Bosco, 1962.

CABRAL, A. S. A. C. Flexão relacional na família Tupi-Guarani In: SOARES, M. E. (Org.). *Boletim da Abralin*, n. 25, p. 233-262, 2000.

CLEMENTS, N. The Geometry of phonological features. *Phonology Yearbook* n. 2, p. 225-252, 1985.

_____. Place of articulation in consonants and vowels. *Working Papers of Cornell Phonetics Laboratory*, n. 5. p. 37-76, 1991.

CLEMENTS, N.; HUME, E. The Internal Organization of Speech Sounds. In: GOLDSMITH, J. (Org.). *The Handbook of Phonological Theory*. London: Basil Blackweel, 1995.

COLBACCHINI. A. *I Boróros orientali orarimugudoge del Mato Grosso (Brasile)*, Torino: Società Editrice Internazionale, 1925.

COLBACCHINI, A.; ALBISETTI, C. *Os boróros orientais orarimogodogue do planalto oriental de Mato Grosso*. São Paulo: Brasiliana, 1942.

CROWELL, Thomas H. The phonology of Boróro verb, posposition and noum Paradigms. *Arquivos de anatomia e antropologia*, p. 159-178, 1977.

_____. *A grammar of Boróro*. Tese de doutorado. Ithaca: Cornell University, 1979.

GUÉRIOS, R. F. M. (1939) O nexo lingüístico Boróro – Merrime-Caiapó: *Revista do Círculo de Estudos Bandeirantes,* tomo 2. n. 1, p. 61-74, Curitiba, 1939.

HERNANDORENA, C. L. M. Introdução à Teoria Fonológica In: BISOL, L. (Org.). *Introdução a estudos de fonologia do português brasileiro.* Porto Alegre, Edipucrs, 1996.

McCARTHY, J. OCP – effects: gemination and antigemination. *Linguistic Inquiry*, n. 17, p. 207-263, 1986.

MESTER, A.; ITÔ, J. Feature predictability and underspecification: palatal prosody in japanese mimetics, *Language,* v. 65, n. 2, p. 259-293, 1989.

OCHÔA, G. *Pequeno dicionário Boróro-Português* – a serviço da escola Boróro. Campo Grande: UCDB, 1997.
_____. (Org.). *Processo evolutivo da pessoa Boróro.* Campo Grande: UCDB, 2001.

PULLEYBLANK, D. Feature geometry and underspecification. In: DURAND, J.; KATAMBA, F. (Org.). *Frontiers of phonology. Atoms, structure, derivations*, p. 3-33. London, Longman, 1995.
_____. *Línguas brasileiras*: para o conhecimento das línguas indígenas. São Paulo: Loyola, 1986.
_____. Uma hipótese sobre a flexão de pessoa em Boróro. *Anais da 45ª reunião anual da SBPC*, p. 50, Recife, 1993.
_____. (1999) Macro-Jê. In: DIXON; AIKHENVALD (Org.). *The Amazonian Languages*, p. 164-206. Cambridge: CUP.
_____. Flexão relacional no tronco lingüístico Macro-Jê In: SOARES, M. E. (Org.). *Boletim da Abralin*, n. 25, p. 219-231, 2000.

TROMBETTI, A. *La lingua dei Boróros-orarimugudoge secondo i materiali publicati della missioni salesiane – studio comparativo.* Torino: Società Editrice Internazionale, 1926.

O ALONGAMENTO VOCÁLICO EM PYKOBYÊ: MOTIVAÇÕES PROSÓDICAS E MORFOSSINTÁTICAS

Rosane de Sá Amado (USP/Fapesp)

Introdução

O Gavião Pykobyê falado pelo grupo conhecido por Gavião Pykobyê ou Gavião do Maranhão, faz parte do complexo Timbira ao qual pertencem também, segundo Rodrigues (1986), o Gavião Parkatejê (PA), o Canela Apãniekrá (MA), o Canela Ramkokamekrá (MA), o Krinkati (MA), o Krenje (MA), o Krahô (TO) e o Apinajé (TO).

Os Pykobyê se distribuem em três aldeias – Governados, Kubiácea e Riachinho – situadas no município de Amarante, sul do Maranhão.

Analisando o alongamento vocálico presente em nomes e verbos da língua, pude observar que esse fenômeno é motivado, aparentemente, por processos diferentes, tais como alongamento compensatório, padrão acentual e formas breves e longas dos verbos. Esse trabalho tem por objetivo traçar um panorama acerca das possibilidades de realização das vogais alongadas nessa língua Timbira.

O padrão silábico do Pykobyê

O Pykobyê apresenta os seguintes padrões silábicos (Sá, 1999):

1.	CV	πα	1ª p. livre	κο	'molhado'
2.	CVC	παπ	'esteira'	κοτ	'baixo'
3.	CCV	πρ↔	'caminho'	κρο	'mau cheiro'
4.	CCVC	πρ↔μ	'fome'	κροϖ	'buriti'

Também é encontrado o padrão VC, mas somente em início de palavra, o que é considerado um *edge effect* (BLEVINS, 1995), como ilustra aw.ja.hi 'caçada' e eʔ.noʔ.na 'ontem'. Além desses, postula-se, na subjacência, uma sílaba V, também em início de palavra, que se realiza sempre como V:, como se observa em a:.kot 'morro'. Essa sílaba V: pode, em alguns casos, variar livremente com a sílaba VC, quando a posição da coda for ocupada por uma consoante glotal, pelo processo de alongamento compensatório. Veremos, a seguir, os demais ambientes em que pode ocorrer o alongamento vocálico.

Alongamento compensatório nos monossílabos

O alongamento vocálico, em alguns casos, parece ser decorrente do apagamento de uma consoante na coda – um segmento não especificado quanto ao lugar de articulação –, a glotal h que se realiza como õʔʔ. Em posição final de palavra, tal segmento pode ser apagado e a vogal do núcleo torna-se longa para preencher a posição esqueletal vazia. Enquanto na maioria dos casos tal fenômeno é opcional, quando há um processo de formação de palavras, torna-se obrigatório. Exemplos:

5. pẽʔ
'árvore'

			6.	paʔ[1]		
pẽ:	krat	pẽ:krat		pa:	krat	pa:krat
	'ângulo'	'tronco'			'ângulo'	'antebraço'
pẽ:	kʰə			pa:	kʰõn	pa:kʰõn
	'pele'	'casca'			'ligação'	'cotovelo'

7. toʔ
'olho'

			8.	teʔ		
to:	hu	to:hu		te:	jẽʰ	te:jẽʰ
	'pêlo'	'cílios'			'carne'	'panturrilha'
to:	kʰə	to:kʰə		te:	hɛʰ	te:hɛʰ
						'canela'
	'pele'	'pálpebra'			'osso'	

---

1 Os exemplos 6, 7 e 8 designam nomes e inalienáveis, que sempre vêm acompanhados de pronomes possessivos.

O alongamento compensatório (GOLDSMITH, 1990) ocorre, portanto, antes da formação da nova palavra.

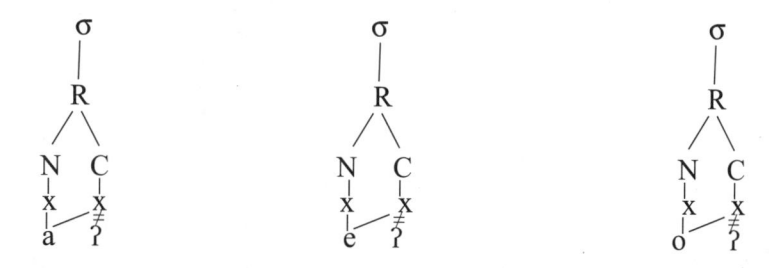

Há casos, entretanto, em que o alongamento parece ter motivação no nível prosódico, já que não se pode verificar a presença de uma consoante em coda que sofra apagamento. Como há uma tendência de haver sílabas pesadas no Pykobyê, mesmo quando monossílabos, esse alongamento é previsível.

9.	kʰə:	'pátio'
10.	mə:	'ema'
11.	pu:	'palha'
12.	tʃo:	'cachorro'
13.	rõ:	'coco'
14.	kru:	'porco'
15.	põ:	'campo'
16.	hi:	'roupa, pano'
17.	kra:	'paca'
18.	ku:	'borduna'

Tal alongamento permanece mesmo quando o monossílabo torna-se componente de uma nova palavra (exemplos de 12 a 15), deixando, contudo, de portar o acento, que se desloca para a última sílaba, seguindo o padrão acentual da língua (SÁ, 1999).

19. tʃo: re   tʃo:.'re
    'cachorro'   DIMIN   'raposa'
    tʃo: teʰ   tʃo:.'teʰ
    'cachorro'   AUMENT   'lobo-guará'

20.	rõ:	teʰ	rõ:.ˈteʰ
	'coco'	AUMENT	'coco da praia'
	rõ:	pər	rõ:.ˈpər
	'coco'	'pé-de-'	'coqueiro'
	rõ:	hək	rõ:.ˈhək
	'coco'	?	'macaúba'
21.	kru:	twɨm	kru:.ˈtwɨm
	'porco'	'banha,'	'banha de porco'
	kru:	re	kru:.ˈre
	'porco'	DIMIN	'caitetu'
	kru:	jẽʰ	kru:.ˈjẽʰ
	'porco'	'carne'	'carne de porco'
22.	põ:	re	põ:.ˈre
	'campo'	DIMIN	'capim, grama'
	põ:	tɛʰ	põ:.ˈtɛʰ
	'campo'	AUMENT	'chapada'
	põ:	həʰ	põ:.ˈhəʰ
	'campo'	'semente'	'milho'

Os exemplos 9, 16, 17 e 18 apresentam pares mínimos com vogais breves, o que pode indicar que a vogal longa, nesses casos, seja lexical e não uma realização fonética.

23.	hi	'genitália feminina'	hi:	'roupa, pano'
24.	kra	'filhote'	kra:	'paca'
25.	ku	**'água'**	ku:	**'borduna'**
26.	kʰə	**'pele, o que reveste'**	kʰə:	**'pátio'**

Alongamento vocálico em nomes com duas sílabas ou mais

Os casos listados abaixo foram agrupados de acordo com a sílaba em que ocorre o alongamento vocálico.

Alongamento vocálico na penúltima sílaba

27.	aːpən	'piranha'	44.	kɔːʰrom	'azul'
28.	aːtʃorteʰ	'mutum'	45.	kɔːʰkin	'cotia'
29.	aːtəʔtʃəʰ	'marimbondo'	46.	kɔːpruttɛʰ	'marimbondo branco'
30.	haːhi	'ninho'	47.	kɔːʰkrat	'anta'
31.	heːhu	'lagoa'	48.	kɔːʰtʃɔj	'pato'
32.	hiːre	'magro'	49.	niːhe	'redondo'
33.	kaːpotɛʰ	'lambu da mata'	50.	noːre	'não' (adv. negação)
34.	kaːpre	'lambu'	51.	paːtʃwəre	'nós também'
35.	kaːtʃwa	'sal'	52.	poːre	'ali'
36.	kaːpɨr	'bacaba'	53.	eʔnaːre	'aqui'
37.	kaːpukre	'uiti'	54.	prõːprõt	'ali'
38.	kaːpuktɛʰ	'uiti-da-mata'	55.	raːre	'tatu-china'
39.	kriːre	'pouco'	56.	tiːre	'ferida, carrapato'
40.	katiːre	'estrela'	57.	tiːtɛᶠⁱ	'carrapato grande'
41.	katiːte	'estrela grande'	58.	amreːre	'acabado, findo'
42.	məːrɛʰ	'aquele, aquela'	59.	kəːhəʰ	'fogo'
43.	prõːjapi	'aquele que ama a esposa'			

Alongamento vocálico na última sílaba

60.	karə:	'veado'	67.	katiːtik	'machucado'
61.	aʔjoː	'anzol'	68.	kreruː	'cará, inhame'
62.	amkroː	'dia'	69.	komtʃiː	'bacuri'
63.	amkrəː	'seca'	70.	pəkaːte	'areia'
64.	jakaː	'branco (cor)'	71.	pempraː	'acordar'
65.	jaraː	'braço'	72.	pratʃiː	'melancia'
66.	ropkroː	'onça pintada'			

Os exemplos listados apresentam casos de ocorrência de alongamento vocálico sem aparente explicação; dentre alguns deles, pode-se levantar a hipótese de motivação prosódica para o alongamento, visto o acento cair não na última sílaba, de acordo com o padrão acentual da língua, mas na sílaba pesada, como nos exemplos (40), (41), (49), (50), (53), (58). Nos demais casos, levanta-se a hipótese de algumas das sílabas portadoras do alongamento vocálico serem prefixos classificadores como o dos exemplos 45 a 48 ou sufixos, também classificadores, como o dos exemplos 69 e 72.

Alongamento vocálico envolvendo formas verbais

No Pykobyê, assim como em muitas línguas da família Jê, há verbos que apresentam formas longas e breves, nestas últimas, ocorre o acréscimo de uma consoante – r, n ou m. Aparentemente, essas consoantes são marcas lexicais do passado; no entanto, elas reaparecem nos tempos não passado – presente e futuro – caso esteja presente, após o verbo, o advérbio de negação ou um quantificador. Dentre os verbos que apresentam essa variação de formas, destacam-se os exemplos abaixo, em cuja forma breve ocorre um alongamento compensatório:

	Forma longa	**Forma breve**	
73.	jəpin	a:pi	'pescar'
74.	jəpən	a:pə	'comer' (intrans.)
75.	kʰup jəpir	kʰup a:pi	'ventar'

O primeiro segmento da forma longa – o glide j, que representa a 1ª pessoa ou a forma canônica de realização de verbos que se iniciam por vogais – sofre uma síncope. Tal fenômeno provoca um alongamento na vogal da primeira sílaba, visto que sílabas V não podem se realizar na superfície (SÁ, 1999). Além disso, ocorre também a mudança de timbre da vogal.

```
      σ                    σ                    σ

   A   R                   R                    R
      N                    N                    N
   x   x                   x                  x   x
   j   ə                   a                    a
```

Algumas considerações

Como se pode observar, o alongamento vocálico no Pykobyê apresenta diversos problemas. No caso dos nomes há, pelo menos, duas hipóteses. Uma delas é a de que o Pykobyê tem vogais subjacentes, a outra é a de que, no caso dos verbos, o alongamento vocálico parece estar relacionado a motivações morfossintáticas.

Referências

BLEVINS, J. The syllable in phonological theory. In: GOLDSMITH, J. A. (Org.). *The handbook of phonological theory*. Cambridge: Blackwell, p. 206-244, 1995.

GOLDSMITH, J.A. *Autosegmental and metrical phonology*. Cambridge: Blackwell, 1990.

SÁ, R.M. *Análise fonológica preliminar do Pykobyê*. Dissertação de Mestrado. Faculdade de Filosofia, Letras e Ciências Humanas, Universidade de São Paulo, 1999.

Sistema vocálico e escrita do Kaingáng

Wilmar da Rocha D'Angelis[1] (IEL-Unicamp)

Os Kaingáng, sua língua e seu alfabeto

A língua Kaingáng é uma das línguas da *família* Jê, integrante do *tronco* Macro-Jê. O Kaingáng e o Xokléng (ou Laklanõ, língua próxima do Kaingáng, hoje falada apenas em Santa Catarina) formam o conjunto restrito das línguas e culturas Jê Meridionais. O povo Kaingáng está espalhado em dezenas de áreas indígenas, do interior de São Paulo ao norte rio-grandense, totalizando mais de 25 mil pessoas.

Como todas as línguas indígenas em território brasileiro, o Kaingáng não desenvolvera um sistema próprio de escrita e não foram eles próprios que começaram a escrever em sua língua. Nos anos 1960, Wiesemann, do SIL, definiu um alfabeto para escrita do Kaingáng, que começou a ser ensinado aos próprios índios. Com ligeiras mudanças é esse alfabeto que os professores Kaingáng usam para alfabetizar seus alunos, embora ele apresente alguns problemas que geram descontentamento em várias comunidades Kaingáng.

O alfabeto Kaingáng atual usa as seguintes letras:
Consoantes:[2]   F   G   H   J   K   M   N   NH   P   R   S   T   V   '
Vogais: A   Á   Ã   E   É   Ẽ   I   Ĩ   O   Ó   U   Ũ   Y   Ỹ

Os fonemas vocálicos (tema deste trabalho) correspondentes a esta listagem são:

/a/, /ə/, /ã/, /e/, /ɛ/, /ẽ/, /i/, /ĩ/, /o/, /ɔ/, /u/, /ũ/, /ɨ/, /ɨ̃/

---

[1] Professor do Departamento de Lingüística do Instituto de Estudos da Linguagem (IEL), Unicamp.

[2] Representam, respectivamente, os fonemas: /f/, /ŋ/, /h/, /j/, /k/, /m/, /n/, /ɲ/, /p/, /ɾ/, /ʃ/, /t/, /w/, /ʔ/.

Antes, porém, de representá-los em um quadro, uma palavra precisa ser dita sobre o fonema /ã/. Sua pronúncia seria aproximadamente [ã] no dialeto central paranaense, estudado por Wiesemann, mas em outros dialetos poderá ser [ẽ] ou [ɔ̃], dependendo do "ambiente" (vogais próximas) ou mesmo da vontade ou inclinação do falante. Isso é o que lemos nos textos da autora daquela análise:

> Os (ẽ) e (ã) se pronunciam mais abertos do que no português. No Paraná há, na escrita, dois sons diferentes: o (ẽ) (escrito < ẽ >) e o (ã) ou (ɔ̃) (escrito < ã >). O (ɔ̃) se pronuncia mais aberto que em português (bom). No Sul há somente um som, escrito < ã >, que se pronuncia como (ẽ), (ã) ou (ɔ̃). A pronúncia varia com o ambiente: ao lado de vogais anteriores (i, e, ɛ, ĩ) geralmente se pronuncia como (ẽ), ao lado de vogais médias (y, ə, a, ɔ̃) geralmente se pronuncia como (ã) e ao lado de vogais posteriores (u, o, ɔ, ũ) geralmente se pronuncia como (ɔ̃). Mas também pode se pronunciar à vontade, ou todos como (ẽ), ou todos como (ã) ou todos como (ɔ̃), dependendo da inclinação do falante. Ao lado da consoante /nh/ geralmente se pronuncia como (ɔ̃) (WIESEMANN, 1967, p. 2).[3]

No dialeto Sul[4] existe apenas uma vogal baixa nasalizada /ã/, cuja região de alofonia abrange a vogal / æ / do dialeto Paraná. Essa vogal surge com freqüência na fala, de modo que no dialeto Sul existe ainda bem mais homofonia do que no dialeto Paraná (WIESEMANN, 1972, p. 40).

Wiesemann assume a análise fonológica de Kindell (colocada como apêndice na publicação de sua tese). No que diz respeito a essa questão, o trabalho de Kindell (1972, p. 204-205) afirma:

> Os fonemas vocálicos nasalizados /ɔ̃/, /ã/ e /õ/ têm alofones em variação livre. /ə̃/ varia de um vocóide nasalizado vozeado central meio-fechado [*mid close*] não-arredondado [ə̃] a um vocóide nasalizado vozeado central meio-aberto [*mid open*] não-arredondado [ʌ̃]; /ã/ varia de um vocóide nasalizado vozeado central bem aberto [*low*

---

[3] Traduções (do alemão e do inglês) e grifos meus (já usadas em D'Angelis 2002a).
[4] Em sua tese, Wiesemann fala de três dialetos: Paraná, Sul e São Paulo. Em outros trabalhos (cf.1971), fala de cinco: São Paulo, Paraná, Central, Sudoeste e Sudeste.

open] não-arredondado [ã] a um vocóide nasalizado vozeado posterior pouco fechado [*low close*] arredondado [ɔ̃]; /õ/ varia de um vocóide nasalizado vozeado posterior meio-fechado [*mid close*] arredondado [õ] a um vocóide nasalizado vozeado posterior bem fechado [*high close*] arredondado [ũ].

Dos textos citados, concluímos que aquela análise corresponde ao seguinte quadro vocálico no Kaingáng (cf. WIESEMANN, 1972, p. 40):[5]

Vogais orais   Vogais nasais   V. nasais ortográficas

i	ɨ	u		ĩ		ĩ	ỹ	ũ
e	ə	o		ə̃	õ			
ɛ	a	ɔ		æ̃	ã		ẽ	ã

Para sermos mais precisos, conforme a primeira das citações anteriores, o dialeto do Sul apresentaria um quadro ainda mais restrito nas vogais nasais, porque naquele dialeto haveria "somente um som, escrito <ã>, que se pronuncia como (ẽ), (ã) ou (ɔ̃)", o que justifica a outra afirmativa (na segunda citação), pela qual "no dialeto Sul existe ainda bem mais homofonia do que no dialeto Paraná". Desse modo, no "Sul" o quadro das vogais nasais seria:

Vogais nasais   Vogais nasais ortograficamente

ĩ			ĩ	ỹ	ũ
ə̃	õ				
ã			ã		

Análise equivocada = alfabeto errado

Já demonstrei em outro trabalho (D'ANGELIS, 2002a) que Wiesemann não entendeu a natureza relevante das alternâncias vocálicas em dialetos como o que, então, denominou "Sul". Em comunidades como Xapecó e Chimbangue (SC), Nonoai e Inhacorá (RS), constatei que as vogais /ẽ/ e /ɔ̃/ são empregadas em importante uso classificatório, de modo que sugeri (D'ANGELIS, 2002a, p. 235) que a língua Kaingáng possui um sistema de classificação nominal que emprega a categoria *forma*. Isso significa que o Kaingáng realiza, pelas

---
[5] Construída a partir da listagem dos fonemas (e grafemas) relacionados na p. 40 da obra de Wiesemann (1972), nossa representação corresponde exatamente aos quadros apresentados por Kindell (1972, p. 203-204): tabelas 3.4.3.2.1 e 3.4.3.2.2.

alternâncias vocálicas entre [ẽ] e [ɔ̃], a expressão das classes *alto/comprido* (ou *fino/difuso*) x *baixo/redondo* (ou *grosso/compacto*), em nomes e verbos.
Alguns exemplos são:

    kɨ'ʃẽ   = *lua* (*fina, comprida*)
    kɨ'ʃɔ̃   = *lua cheia* (*redonda*)
    nẽn   = *capoeirão* (mato ralo, pouco espesso, fino)
    nɔ̃n   = *mato virgem* (mato fechado, compacto, grosso)
    kẽ'ʃiɾ   = *pequeno, miúdo* (ex: "estrelas pequenas" = difuso)
    kɔ̃'ʃiɾ   = *pequeno, miúdo* (ex: "balaio pequeno" = compacto)
    tẽɲ   = *matar* (animal ralo, difuso, esparramado)[6]
    tɔ̃ɲ   = *matar* (animal redondo, compacto, grosso)

Isso significa que é equivocada a afirmação de que em tais dialetos haja apenas um fonema vocálico baixo /ã/, realizado *como (ẽ), (ã) ou (ɔ̃)* por alguma espécie de harmonia vocálica ou por 'inclinação' do falante. O reconhecimento e a pronúncia de /ẽ/ e de /ɔ̃/ – e, como veremos, também /ã/ – são parte integrante da competência fonológica de um falante Kaingáng, porque com esses elementos se constrói e se transmite informação semântica. Logo, ambas as vogais são fonemas do sistema vocálico daqueles dialetos e, como tais, não podem estar ausentes na representação da língua pela escrita.

Para confirmar as sugestões levantadas no trabalho exploratório aqui já mencionado, novas buscas de dados entre os Kaingáng da aldeia Inhacorá permitem agregar mais alguns exemplos esclarecedores:

    ŋẽɲ ɾoɾ   = *cabelo curto* (ɾoɾ = *curto, baixo*)
    ŋɔ̃ɲ tɛj   = *cabelo comprido* (tɛj = *comprido, alto*)[7]
    ta kutẽ sĩ   = *está chovendo fino*
    ta kutɔ̃ mbag   = *está chovendo muito (forte, grosso)*[8]

---

[6] Observe-se o exemplo empregado (kaʃĩn tẽɲ = *caçar rato*): os roedores ("ratos") caçados por eles nos banhados não eram pegos em unidade e sua caça não era feita por um homem sozinho. Costumavam organizar um grupo, preparar as armadilhas e, à noite, flechar muitos animais na 'ceva'. Depois, organizavam uma grande refeição conjunta. Ao contrário disso, matar uma anta ou um veado (onde aparece a forma 'tɔ̃ɲ') sempre foi caça a apenas um animal.

[7] Esse caso mostra que o sentido depende também do elemento em jogo. No caso de "lua", os sentidos emprestados por [ẽ] e [ɔ̃] são, respectivamente, "fino" vs. "redondo" (ou "grosso"), com relação ao formato da fase da lua. Já em relação a "cabelo" os sentidos emprestados por [ẽ] e [ɔ̃] são, respectivamente, de "pouca quantidade", "menos compacidade", "mais difuso" vs. "compacto", "cheio", "grande quantidade". Vejam-se os exemplos seguintes.

[8] Aqui, para "chuva", [ẽ] e [ɔ̃] emprestam sentidos de "fino", "difuso", "pouca quantidade" vs. "grosso", "compacto", "grande quantidade".

Além disso, professores Kaingáng de várias áreas do Rio Grande do Sul (como Inhacorá, Guarita, Nonoai e Iraí) manifestam-se claramente desconfortáveis com a identificação, proposta por Wiesemann, entre as realizações fonéticas de [ə̃] e [ã] (ambas reduzidas a "ỹ" na sua escrita unificada). Eles sentem um claro e explícito mal-estar em escrever a palavra [nə̃], "mãe" (e "irmãs da mãe") de modo idêntico ao que – pela atual ortografia – devem usar para escrever a palavra [nã], "deitar, sg.", ou seja, ambas (homógrafas) como "nỹ". Julgam que essa forma escrita se aplica bem à primeira palavra, mas não à última.[9]

E se deve pôr em relevo o fato de que, nesse caso, não se pode pensar em atribuir o desejo dos falantes de representar tal distinção na escrita a alguma influência da alfabetização na língua portuguesa (afinal, sabemos que o aprendizado de outra língua com freqüência exige o aprendizado e domínio de distinções fonológicas que não ocorrem na nossa língua materna). A hipótese é improvável, uma vez que em português não se faz distinção entre vogais centrais, nem mesmo em fonemas orais. Em outras palavras, é uma reivindicação forte vinda do sentimento da língua pelos falantes nativos.

Sistemas vocálicos quadrangulares e triangulares

Trubetzkoy, em seus *Grundzüge der Phonologie* (1939), analisou detidamente duas centenas de sistemas fonológicos, tipologizando, pelos seus quadros vocálicos, línguas de sistemas lineares, de sistemas quadrangulares e de sistemas triangulares (p. 87ss). Nos primeiros, os fonemas vocálicos possuem determinados graus de abertura (ou de sonoridade), mas não possuem propriedades de timbre distintivamente relevantes (propriedades de localização da vogal). Nos sistemas quadrangulares, todos os fonemas vocálicos possuem não apenas as propriedades distintivas baseadas no grau de sonoridade, como também as propriedades distintivas de localização (timbre). Finalmente, nos sistemas triangulares todos os fonemas vocálicos possuem as propriedades distintivas do grau de abertura (ou sonoridade), mas as propriedades distintivas de localização (timbre) não estão presentes nos fonemas vocálicos mais abertos, o que coloca esses fonemas fora das oposições de localização.[10]

---

[9] Como adiante se mencionará, o mal-estar dos falantes com a representação da letra "ã" talvez esteja relacionado mais ao não reconhecimento de sua relação com a vogal oral /o/ do que com uma vogal alta /ɨ/.

[10] Trubetzkoy, 1939, p. 87 (a tradução, minha, foi feita a partir da versão norte-americana, de 1969, p. 97, confrontada com o original em alemão).

Nas vogais orais do Kaingáng é evidente a existência de um sistema quadrangular, com três alturas e três posições. No entanto, nas vogais nasais a análise de Wiesemann sugere um estranho sistema assimétrico, que não se enquadra em nenhum dos tipos de sistemas vocálicos propostos por Trubetzkoy. Observemos novamente:
Dialeto Paraná

Vogais Nasais			Ortograficamente		
ĩ			ĩ	ỹ	ũ
	ɘ̃	õ			
æ̃	ã		ẽ	ã	

Dialeto Sul

Vogais Nasais		Ortograficamente		
ĩ		ĩ	ỹ	ũ
ɘ̃	õ			
ã			ã	

Nenhum deles é, certamente, um sistema linear, pois em ambos há distinção, no mesmo grau de abertura, para as propriedades de timbre (localização) das vogais; por exemplo, nas vogais médias em ambos os sistemas, ou nas vogais altas segundo a convenção ortográfica. Também não são sistemas quadrangulares porque, em ambos os dialetos, não há participação de propriedades de localização nas vogais altas, nem das propriedades de abertura em vogais posteriores arredondadas. Para o caso das vogais altas a situação melhora com a representação ortográfica, mas nada muda em relação às vogais posteriores (e, no dialeto "Sul", também para as anteriores).

Finalmente, não são sistemas triangulares. Em primeiro lugar porque, contrariando a definição, *as propriedades distintivas de localização (timbre) estão presentes nos fonemas vocálicos mais abertos*, no caso do dialeto "Paraná" (base da ortografia). Em segundo lugar porque nem *todos os fonemas vocálicos possuem as propriedades distintivas do grau de abertura (ou sonoridade)*: veja-se o caso das posteriores, no dialeto "Paraná", e de anteriores e posteriores no dialeto "Sul". A não ser que entendamos – no caso do dialeto "Sul" – que a vogal baixa, apesar de atender à "exigência" de não participar das propriedades de localização ou timbre (estando *fora das oposições de localização"*), funciona como "coringa" para opor-se a três vogais *altas*, permitindo assim o funcionamento das propriedades de abertura. O problema com essa interpretação é o fato, já demonstrado, de que variedades incluídas no que Wiesemann chamou de "dialeto Sul", opõe, efetivamente, /ẽ/ a /ɔ̃/ como fonemas distintos.

Por tudo isso cremos que uma forma aceitável de (nós) interpretarmos o sistema vocálico nasal no qual Wiesemann baseou as definições ortográficas para o Kaingáng seria:

Vogais Nasais[11]			Ortograficamente		
ĩ	ɨ̃	ũ	ĩ	ỹ	ũ
æ̃		ɔ̃	ẽ	ã	

Como sabemos, as vogais subjacentemente nasais, nas línguas que as possuem, costumam conformar um sistema vocálico simplificado (reduzido) em relação às vogais orais.[12] Quando o inventário das nasais não é igual ao das vogais orais, *muitas vezes* – na interpretação de Trubetzkoy ([1939] 1939, p. 119) – *um dos graus médios de abertura se mantêm inafetado* pela correlação de nasalidade. É o que vemos, no Kaingáng, pela ausência de oposição entre vogais nasais "médias baixas" e "médias altas" (ou, se preferirmos, pela ausência de uma série vocálica nasal meio-fechada).

Já vimos que no Kaingáng as vogais orais conformam um sistema que Trubetzkoy classificaria como quadrangular de três classes e três graus, enquanto as nasais, no arranjo que propusemos anteriormente para a análise de Wiesemann, compõem um sistema quadrangular de três classes e dois graus :

Vogais Orais (ortograficam.)			Vogais Nasais (ortograficam.)		
i	y	u	ĩ	ỹ	ũ
e	á	o			
é	a	ó	ẽ	ã	

---

[11] Em sistemas vocálicos orais, uma tal configuração é possível: sistema quadrangular de dois graus e três classes, onde a classe medial de timbre é representada por um único fonema (que, nesse caso, terá o grau de abertura das vogais minimamente sonoras das classes externas de timbre, i.e., das vogais altas). Cf. Trubetzkoy [1939] 1969, p. 107 e 112.

[12] Contudo, há línguas em que para cada fonema vocálico oral existe um fonema vocálico nasal. O que não ocorre são línguas com mais vogais nasais do que orais.

Observemos, porém, que Trubetzkoy prevê, nos sistemas vocálicos nasais reduzidos em relação às vogais orais da mesma língua, duas formas de redução ou simplificação do sistema oral: exclusão de um dos graus de abertura médio ou exclusão de uma classe de 'timbre' (anterior ou posterior, arredondada ou não-arredondada; e ambas ao mesmo tempo, eventualmente). Olhando para o sistema vocálico nasal proposto por Wiesemann (e melhorado por nossa interpretação) em comparação com o sistema vocálico oral, constatamos a clara exclusão das vogais de grau de abertura médio. No entanto, observamos igualmente uma 'meia' exclusão de uma classe de 'timbre': na classe das posteriores não arredondadas, apenas a vogal baixa é excluída.

E se nossa atenção for dirigida ao sistema vocálico nasal tal como desenhado por Kindell (1972) e assumido por Wiesemann (apresentado anteriormente), a constatação é ainda mais gritante:

Dialeto Paraná			Dialeto Sul		
ĩ			ĩ		
	ə̃	õ		ə̃	õ
æ̃	ã			ã	

Nada, nesses quadros, parece remontar a um sistema fonológico.[13] Se os comparamos com o sistema fonológico das vogais orais, dado anteriormente, temos a impressão de que a língua selecionou de modo completamente aleatório um subconjunto das vogais orais para compor seu quadro de nasais. De nossa perspectiva teórica, tal seleção randômica jamais acontece.

Finalizamos, pois, mostrando como se dá, em nossa interpretação, a 'simplificação' do sistema vocálico oral para constituição do sistema das vogais nasais no Kaingáng.

As vogais nasais no Kaingáng

Tenha-se em vista, outra vez, o arranjo das vogais orais na língua Kaingáng e a ampliação do sistema vocálico dessa língua pela aplicação da correlação de nasalidade, com a conseqüente produção de um sistema vocálico nasal:

Vogais Orais				Vogais Nasais		
i	ɨ	u	→	ĩ	ɨ̃	ũ
e	ə	o				
ɛ	a	ɔ	→	ɛ̃	ã	ɔ̃

---

[13] Da perspectiva da fonêmica (e tagmêmica) isso não tem relevância.

Em nossa perspectiva, tudo se passa com a mesma regularidade e previsibilidade de um processo de neutralização de oposições: não se apagam vogais ou distinções ao acaso, mas se diminuem as oposições bilaterais e, quando elas são proporcionais, toda uma correlação é eliminada.[14] Para trabalhar com um conjunto menor de oposições, garantindo nas vogais nasais uma clareza (acusticamente) distintiva tão eficiente como nas vogais orais,[15] reduz-se a oposição existente entre as vogais não altas ou, nos termos de Trubetzkoy, excluem-se as vogais de grau de abertura médio na criação do conjunto nasal. O resultado é, nas vogais nasais, um sistema igualmente quadrangular de três classes, mas de apenas dois graus de abertura.

Fica-nos, é verdade, um pequeno problema: a falta de um conjunto convincente de pares (mínimos ou análogos) de palavras em que a oposição entre /ẽ/ e /ã/ se mostre robusta. Temos, até aqui, apenas a rejeição, antes referida, por muitos falantes nativos, do uso de formas idênticas para palavras como ['nã] e ['nɔ̃]. Ainda que não a creiamos atribuível à influência do português, poderia acontecer que tal rejeição se devesse a uma falsa compreensão dos sistemas lingüísticos por parte de indígenas escolarizados (e, no caso do exemplo, professores), que por isso resistem à ocorrência de palavras homófonas. Aliás, a resistência, nesse caso, teria nascido antes pelo uso da escrita: a recusa à existência de palavras homógrafas.

De qualquer modo, nos parece insustentável uma análise que defenda, na passagem das vogais orais para as nasais, em Kaingáng, um apagamento da distinção entre posteriores arredondadas e não arredondadas, nas vogais baixas, mas não nas vogais altas, concomitante a um apagamento da oposição de altura nas posteriores arredondadas sem o equivalente nas posteriores não arredondadas. E já demonstramos a necessidade, para os dialetos do Sul, de se poder grafar diferenças como ['nẽn] e ['nɔ̃n]. Por tudo isso, duas sugestões nos parecem possíveis:

a) reinterpretar as reduções operadas por Wiesemann, pelo seguinte esquema (que detalha nossa reinterpretação anterior):

$$\tilde{\imath} \qquad \tilde{y} \qquad \tilde{u}$$

$$\tilde{\varepsilon} \;\rightarrow\; (\tilde{a}) \;\leftarrow\; \tilde{\mathfrak{o}}$$

---

[14] É trubetzkoyana a classificação de oposições em *bilaterais* (ou *unidimensionais*) e *multilaterais* (*multidimensionais*) e em *isoladas* e *proporcionais* (cf. Trubetzkoy [1939] 1969, p. 67-74), assim como a noção de *correlação* (idem, p. 85).

[15] Como sabemos, ao acoplar ao tubo oral um segundo ressoador, pelo abaixamento do véu palatino, ocorre significativa perda de energia do sinal acústico.

b) sugerir que é preciso maior investigação para confirmar que o Kaingáng apresenta também nas vogais nasais um sistema quadrangular de dois graus e três classes (abaixo), razão do descontentamento dos falantes nativos com uma ortografia que só permite representar cinco vogais nasais.

ĩ ỹ ũ

ẽ ã ɔ̃

No primeiro caso, coadunamos os fatos observados, de um menor número de vogais baixas do que de vogais altas, com as previsões de Trubetzkoy, porque: (i) reconhecemos a "exclusão" de um nível de grau de abertura (a médias); (ii) propomos a ocorrência de uma situação de neutralização afetando as vogais baixas: [ã], sendo posterior não arredondada, ocorre como neutralização da oposição entre a anterior (não arredondada) e a posterior arredondada.

No que se refere ao segundo caso, sugerimos que a explicação para a recusa dos falantes está no sentimento inconsciente (intuição) de que há distinções semânticas possíveis, a se fazer na língua, com o uso de uma vogal baixa não arredondada [ã], distinta de [ẽ] por seu grau de posterioridade, e distinta de [ɔ̃] por seu não arredondamento. Isso os leva à recusa de identificar a vogal nasal /ã/ com a vogal oral /o/, que intuitivamente lhes sugere a decisão ortográfica. Assim como o uso distintivo de [ẽ] e [ɔ̃] não foi percebido por Wiesemann e é de difícil explicitação pelos falantes nativos, o emprego distintivo de [ã], em oposição a [ẽ] e [ɔ̃], possivelmente envolva as mesmas ou outras distinções semânticas que sejam por demais sutis ao pesquisador de outra cultura e, aos falantes nativos, difíceis de tornar conscientes.[16] Avanço a sugestão de investigarmos se, quando um termo precisa ser referido de forma absolutamente genérica – excluídas conotações particulares e situações contingentes – ocorrendo nele uma vogal nasal baixa, se empregaria um [ã] em lugar de [ẽ] ou [ɔ̃]. Assim, por exemplo, se uma pessoa quer referir-se aos descendentes seus e de seus interlocutores, abarcando assim pessoas de ambas as metades exogâmicas (Kamẽ e Kainhru), ela poderia pronunciar a forma [krã], para "filhos", em lugar de [ˈkrẽ] ou [ˈkrɔ̃]. Ou se, falando de animais, um uso genérico para o termo *'veado'* poderia ser [kãˈmbe], em lugar dos marcados [kẽˈmbe] e [kɔ̃ˈmbe]. Mas que também se investigue o vocabulário em busca de pares que exijam a distinção entre /ã/ e /ɨ̃/.

---

[16] Entre jovens professores Kaingáng de Inhacorá, o uso distintivo de [ẽ] e [ɔ̃] passava despercebido por todos (só ocasionalmente notado por um deles, em uma terceira pessoa). Mesmo depois de cientes da existência da distinção, pareciam tomá-la como uma possibilidade na fala de terceiros (sobretudo mais velhos), mas não se davam conta do uso inconsciente que eles próprios fazem ao falar a língua. A impossibilidade do registro escrito de todas as vogais e a padronização ortográfica impõem fortes limites à expressividade dos falantes.

Na verdade, independentemente da conclusão a favor das hipóteses (a) ou (b), o quadro vocálico nasal ortográfico do Kaingáng necessariamente terá três vogais baixas:

$$\tilde{\imath} \qquad \tilde{y} \qquad \tilde{u}$$

$$\tilde{e} \qquad \tilde{a} \qquad \tilde{o}$$

Explica-se: (i) no segundo caso, obviamente, como a análise conclui por um subsistema nasal com três vogais baixas, esses três fonemas devem ter sua representação garantida na escrita; (ii) no primeiro caso, no entanto, pareceria possível, em uma leitura rápida, justificar o emprego de apenas duas letras para vogais baixas; esse não é, porém, o caso, uma vez que, sendo a vogal central /ã/ o resultado de neutralização de dois fonemas, ela se constitui como um arquifonema, diferente dos dois cuja oposição neutraliza (é baixa como ambos, posterior como /õ/ e não arredondada como /ẽ/); ademais, se a hipótese puder comprovar-se, trata-se de um tipo particular de "neutralização", porque vincula diretamente a fonologia à semântica e, nesse caso, é mais evidente ainda que o /ã/ tenha de ser grafado "ao lado" de também grafar-se as outras duas vogais nasais. O que não se justifica, portanto, qualquer que seja a análise possível, é a decisão ortográfica adotada por Wiesemann e imposta aos Kaingáng.

Conclusão

Nossas alternativas implicam, em qualquer dos casos, que os Kaingáng possam escrever "nẽn" e "nõn", "kakrẽ" e "kakrõ", "kutẽ" e "kutõ", etc., conforme as circunstâncias e necessidades expressivas. Isso em nada afeta a noção de escrita unificada, ainda que em alguns casos possa haver dialetos em que as distinções semânticas construídas com as vogais nasais baixas tenham se apagado. Nesse caso vale o princípio de que a escrita precisa ser capaz de representar o maior conjunto de distinções possíveis. Operar um conjunto mais restrito, não implica dificuldades em representá-las. Mas, no caso contrário, se a escrita estiver calcada na variedade com um leque menor de distinções (como atualmente), ficam prejudicadas e cerceadas as variedades que abarcam maior número de discriminações.

Lutar para manter inalterada e rígida uma ortografia que nasceu equivocada é prestar um desserviço aos povos indígenas, e aos Kaingáng em particular. O Estado deveria, nesse caso, colocar-se ao lado dos direitos indígenas, e emprestar-lhes os instrumentos de força e poder, necessários para enfrentar o poder construído por organizações missionárias que desejam manter os povos indígenas submissos e tutelados por suas práticas autoritário-paternalistas.

Referências

D'ANGELIS, W. R. Gênero em Kaingáng? In: SANTOS, L.; PONTES, I. (Org.). *Línguas Jê. Estudos Vários*. Londrina: EDUEL, 2002a, p. 215-242.
_____. O alinhamento pró-Estados Unidos da Fonologia no Brasil. *IX International Conference on History of Language Sciences*. São Paulo / Campinas, 27 a 30 ago, 2002b.
_____. O SIL e a redução da língua Kaingáng à escrita: um caso de missão 'por tradução'. In: WRIGHT, R. (Org.). *Transformando os deuses - vol. II* (título provisório). Campinas: Ed. da Unicamp, 2004.

KINDELL, G. Kaingáng Phonemics. In: WIESEMANN, U. (1972), *Die Phonologische und Grammatische Struktur der Kaingáng-Sprache*. The Hague/Paris: Mouton, 1972, p. 200-211.

TRUBETZKOY, N.S. *Principles of Phonology*. Trad. C.A.M. Baltaxe. Berkeley: University of California Press, 1969. 1. ed., p. 1939.

WIESEMANN, U. *Introdução na língua Kaingáng*. Rio de Janeiro: SIL, 1967, mimeo.
_____. *Dicionário Kaingáng – Português, Português – Kaingáng*. Brasília/Rio de Janeiro: Funai/SIL, 1971, p. 63
_____. *Die Phonologische und Grammatische Struktur der Kaingáng-Sprache*. The Hague/Paris: Mouton, 1972.

As organizações triádicas existem? O caso dos Ijoi Karajá

Helena Moreira Cavalcanti-Schiel (USP)

A descoberta de organizações dualistas no Brasil Central, por Nimuendajú e Lévi-Strauss trouxe à antropologia produzida no Brasil a possibilidade de entrar nos grandes debates da disciplina. Com o interesse voltado para tal modelo foi implementado o projeto Harvard Brasil-Central, que concentrou suas pesquisas nas sociedades indígenas de língua Jê.

Tardiamente classificados no tronco lingüístico Macro-Jê, os Karajá parecem ter sido excluídos daquele *boom* de produção etnográfica, dificilmente despontando como alvo de debates mais amplos da disciplina, permanecendo como elemento curiosamente anômalo. Acredito que esta aparente anomalia deva-se tanto àquela tardia classificação lingüística quanto à dificuldade de se encaixar a organização social karajá nos clássicos esquemas de estruturas dualistas Jê-Boróro. Essa hipótese, num dos seus termos, já nos incitaria a formular algumas questões, mesmo que incipientes, sobre a história ainda pouco explorada das relações entre a etnolingüística e a etnologia sul-americana das terras baixas. Assim como o caráter meramente sugestivo e exploratório de tal hipótese, esta comunicação pretende, atrevidamente, apontar para a possibilidade de alguns problemas etnológicos que, a partir do material karajá, poderiam ser postos não apenas para a literatura já produzida a seu respeito como também ao cenário Macro-Jê mais amplo e às suas relações com a etnologia americanista.

O título desta comunicação é claramente uma referência ao clássico artigo de Lévi-Strauss, em grande parte responsável pelo afluxo de trabalhos etnográficos sobre os grupos Jê.[1] Parece-me que a parte menos explorada daquele texto é a de maior rendimento para a análise do material etnográfico karajá. Lévi-Strauss (1958), tratando de comparar dados Boróro com outros advindos de organizações na Índia, propõe que o dualismo concêntrico seria

---

[1] Refiro-me ao artigo "Les organisations dualistes existent-elles?", Lévi-Strauss (1958).

um mediador entre o dualismo diametral e o triadismo. A aparente exogamia das metades Boróro foi por ele revelada como, na verdade, uma endogamia de subgrupos tripartidos no interior da aldeia. O autor vai mais além, propondo uma dedução de como seria a "abertura da estrutura dual", em uma estrutura triádica. O modelo gráfico dessa estrutura é sugerido por Lévi-Strauss como o de uma reta e um ponto, ponto este que seria o centro exteriorizado.

A pertinência de se tratar a estrutura karajá em termos de triadismo já foi notada por Hans Dietschy (1977) e mais minuciosamente explorada por Nathalie Pétesch (1987). Pretendo aqui apenas esboçar a argumentação daquela autora para, em seguida, entrar na análise específica de um fenômeno etnográfico karajá que tomo como caso exemplar de estudo, o dos *Ijoi*.

A cosmogonia Karajá estabelece, no que Pétesch chama de *edifício cósmico* (1993, p. 371), o princípio triádico fundamental. Nele encontramos o nível de baixo, ou mundo das águas, de onde teriam vindo os ancestrais dos Karajá. Este nível seria caracterizado pela imobilidade, pela umidade, pela fartura e pela imortalidade. Daí teriam ascendido os primeiros humanos para o nível terrestre, ou nível do meio. Este é caracterizado pela ampla mobilidade, pela presença e necessária relação com a morte e por seu ambiente ser mais seco. Após a convivência com os heróis transformadores nesse nível do meio e a partir de erros cometidos pelos *inã* (autodesignação do Karajá, que corresponde aos Karajá habitantes dos três níveis), aqueles heróis ascendem ao terceiro nível, o mundo das chuvas, para onde também se encaminham poderosos xamãs após a morte. Este terceiro nível guarda forte semelhança com o primeiro pela presença de umidade, imortalidade e fartura. Pétesch costuma salientar o caráter assimétrico desta estrutura em que se opõem, de um lado os dois extremos, associados e assemelhados e de outro o meio, que faria a ligação entre aqueles dois. É preciso ressaltar também o caráter móvel do nível intermediário. Os *inã* que aí estão podem retornar ao nível de baixo ou ascender ao nível de cima após sua morte.

Ijoi é um termo com múltiplas significações. Uma delas designa o espaço masculino da aldeia. Com efeito, a aldeia Karajá é composta de uma ou mais fileiras de casas residenciais ao longo do rio e uma outra casa, afastada das primeiras, voltada para a mata. Esta casa solitária, conhecida como *Hetokré* ou casa dos homens, e o espaço à sua frente são chamados de *Ijoi*, sendo que este espaço entre a casa e os caminhos que ligam as unidades residenciais à *Hetokré* é chamado de *ijoina*, a praça ou lugar dos *Ijoi*. Já sumariamente, chama a atenção a semelhança da planta da aldeia Karajá com aquela idealização do que seria a estrutura triádica para Lévi-Strauss, ou seja, uma reta – a fileira de casas residenciais – e um ponto – a *Hetokré* (casa dos homens), que é como um centro exteriorizado. Outra significação do termo *Ijoi* – que nos interessa aqui especialmente – é a de "grupos de praça" (TORAL, 1992, p. 117) ou "grupos rituais" (LIMA FILHO, 1994, p. 130). Segundo Toral, a população de uma aldeia dividiria entre dois ou mais *Ijoi* que cooperariam competitivamente. Ambos autores concordam em afirmar que a transmissão do *Ijoi* se daria patrilinearmente. Enquanto para a mulher o pertencimento ao *Ijoi* concerne apenas ao seu posicionamento espacial em determinados rituais, para o homem ele determina grande parte de sua vida social: grupos de tarefas durante rituais, caçadas e guerras (LIMA FILHO,1994, p. 130; TORAL, 1992, p. 117). Toral chega a afirmar que "sua [a do homem] situação no seu *Ijoi* particular é o termômetro de seu prestígio social. Líderes de aldeia são ou já foram líderes em seu *Ijoi*" (TORAL, 1992, p. 117).

Os distintos *Ijoi* agrupam-se em designações de cima e baixo, *iboó* e *iraru*, respectivamente.[2] Essas designações chegam a ser mais visíveis durante as fases mais intensas dos dois ciclos rituais dos Karajá: o *Hetohokã*, ou festa da Casa Grande, e o *Ijasó Anarakã*, festa/dança dos *ijasó* (conhecida entre os regionais como dança dos Aruanãs). Toda a organização desses rituais e suas especificidades Javaé e Karajá parecem ser reveladoras de um princípio geral das classificações dos Karajá.

O *Hetohokã*, que foi interpretado como "ritual de iniciação masculino" (LIMA FILHO, 1994), é um ciclo ritual que tem a duração de aproximadamente um ano agrícola e revela seu ápice no período das chuvas e da cheia do rio Araguaia. É caracterizado pela "visita" (representação) de determinadas entidades cosmológicas que visam a estabelecer a continuidade de suas relações com a comunidade, seja participando e protegendo rapazes que estão sendo iniciados, seja relembrando à comunidade sua moralidade ideal. Para a fase final do ritual é construída uma parafernália que revela alguns dos princípios estruturais que parecem ordenar o pensamento karajá. Entre os Karajá propriamente ditos são erguidas duas casas, uma grande, a *Hetohokã*, e uma

---

[2] A classificação nativa divide aqueles que aqui venho chamando genericamente de Karajá em três subgrupos: Karajá (propriamente dito), que ocupa a porção montante do Rio Araguaia, de Aruanã (GO) à Ilha do Bananal; Javaé, também chamado de "povo do meio", que ocupa uma posição central e o interior da Ilha do Bananal, e Xambioá (etnônimo, ao que tudo indica, originário da expressão nativa *ixã biowa*, que pode ser glosada por grupo amigo), ou Karajá do Norte, que ocupa a porção jusante do Araguaia, próxima à cidade de Araguaína (TO). A pertinência dessa tripartição ao princípio geral de classificação karajá e sua significação para as relações intergrupais e as dinâmicas identitárias podem ser objeto de um debate ainda a ser travado, e que o material etnográfico disponível sobre os três subgrupos de forma alguma exauriu.

pequena, a *Hetoriore*, que estão respectivamente associadas a grupos de cima e baixo, *iboó* e *iraru*. Estas duas casas são ligadas entre si por um corredor (e ele é assim concebido), chamado de *Hererawo*. A construção desse corredor está diretamente ligada a esses grupos denominados *Ijoi* e aos eventos do *Hetohokã*.

Cada um dos esteios que compõem este corredor leva o nome de um dos grupos *Ijoi* e é, conseqüentemente, associado a "cima" ou "baixo". Além disso, cada um deles corresponde a um dia da fase final de atividades rituais. Segundo André Toral (1992), a quantidade de esteios varia segundo a quantidade de grupos *Ijoi* que existem na aldeia determinada (aldeias maiores comportando maior número de *Ijoi*). Lima Filho, que pôde acompanhar apenas um *Hetohokã* (da aldeia Karajá de Santa Isabel no ano de 1990), especificou os grupos e as atividades associadas a cada um dos esteios – ou "árvores rituais", como o autor prefere denominar. Citando Toral,

> nas maiores aldeias Karajá, Sta. Isabel e Fontoura, nota-se que diversos *Ijoi* ocupam os mesmos 'endereços' no *Hererawo*, associando-se sob as mesmas espécies vegetais [os esteios anteriormente descritos] ou separando-se, sentando-se sob as espécies vegetais vizinhas. Nesse sentido cada *Ijoi* karajá parece poder ser agrupado em uma série de espécies vegetais desde que sejam, como ele, "de baixo" ou "do alto" (TORAL, 1992, p. 127).

No caso específico dos Javaé há algumas distinções complementares, mas que não parecem alterar o esquema fundamental. É importante informar que entre os Javaé existem apenas dois grupos *Ijoi*, o *Saurá* (ou grupo dos macacos) e o *Hirètu* (grupo da cauda do carcará). Os Javaé referem-se especialmente aos nomes desses dois grupos, sem fazer necessariamente menção a *iboó* e *iraru*. Toral menciona ainda um terceiro grupo, os *Itya*, traduzido como "grupo do meio" e que só seria visível em funções cerimoniais específicas. Para a ocasião do *Hetohokã* Javaé, é construída apenas uma única grande casa que reúne os três grupos, os *Itya* ficam em posição mediana, entre os *Saurá*, de cima, que ficam na ponta sul (ou montante) da casa, e os *Hirètu*, de baixo, que ficam na ponta norte (à jusante). Os troncos que dão a sustentação a essa Casa Grande são de espécies distintas e cada um dos grupos (*Saurá* ou *Hirètu*) é o "dono" de um deles. Além disso, essa casa grande possui três portas, cada uma pertencendo a um grupo.

Parece-me que a divisão básica dos *Ijoi* karajá seria "de cima" e "de baixo", em situações cotidianas. O que vai, finalmente, articular a existência de um terceiro grupo são as ocasiões dos rituais. Chega a ser temerário tentar distinguir uma situação cotidiana de um momento ritual, visto que os ciclos rituais karajá se prolongam por um ano ou mais, sendo raras as semanas em que não se representa ao menos uma entidade cosmológica. No entanto, se se questiona a um Karajá a qual *Ijoi* ele pertence e quais seriam os outros, dificilmente ele faria referência imediata a este terceiro, o grupo do meio.

Durante o *Hetohokÿ* são organizados grupos para trabalhos específicos, como a construção das casas cerimoniais ou a realização de caçadas ou pescarias concernentes a atividades do próprio ritual. Lima Filho mostra que os homens de cima, *iboó mahãdu*, constroem a casa grande, que fica à montante do rio, enquanto os homens de baixo, *iraru mahãdu*, constroem a casa pequena, que fica à jusante (LIMA FILHO, 1994, p. 85), sem especificar a qual grupo caberia a construção do *Hererawo*, o corredor que une as duas casas.

Falando do *Hererawo*, Lima Filho diz:

> ...no espaço de 40 m entre a Casa Grande e a Casa Pequena é construído um corredor de palha chamado *Hererawo*. [...] As árvores [é como ele denomina os esteios] decrescem em altura a partir da Casa Grande. [...] A primeira árvore a contar da Casa Grande [...] pertence a um grupo especial de homens denominado *Mahãdu Mahãdu*. [A] árvore da entrada da casa Grande e as outras duas que ficam após a árvore do *Mahãdu Mahãdu* pertencem aos homens de cima, os *Iboó Mahãdu*, e as últimas três mais próximas da casa Pequena são dos Homens de Baixo, os *Iraru Mahãdu*.

O autor observa ainda que os homens que fazem parte do *Mahãdu Mahãdu* são oriundos tanto do grupo de cima quanto dos de baixo (idem, p. 99).

Já André Toral nos revela as especificidades javaé para um mesmo princípio. "Uma pessoa não se liga aos *Itya* como se liga aos *Hirètu* e *Saurá*. Os *itya*, 'os do meio', são um grupo formado por pessoas de outros *Ijoi* para exercerem funções cerimoniais específicas" (TORAL, 1992, p. 123). É notável a semelhança dos *Itya Mahãdu* dos Javaé aos *Mahãdu Mahãdu* dos Karajá, podendo ser estruturalmente equivalentes, por sua posição mediana em relação aos outros, sua identificação não fixada e por sua função unicamente cerimonial.

Pode-se perceber que as construções do *Hetohokã* são concebidas da mesma maneira que a partição cosmogônica fundamental. Minha suspeita é a de que a homologia lógico–simbólica possa não ter sido suficientemente explorada pelas várias etnografias karajá (à exceção do trabalho de Nathalie

Pétesch),³ e que essa homologia lógica pode ser rentável para estabelecer relações que se espraiam para além do nível estritamente fenomênico de uma morfologia social. Nesses termos lógicos, creio ser pertinente associar as casas grande e pequena respectivamente aos níveis de cima e baixo. Uma caução para essa suspeita seria dada pela especificidade das categorizações nativas, tal como a seguir pontuo. Ainda sobre o *Hererawo*, e agora tratando-se de grupamentos humanos, é no interior desse corredor que se revelam os três grupos rituais, ou *Ijoi*. Lembremo-nos que cada esteio corresponde a um *Ijoi*, com um nome animal e que há apenas um esteio pertencente aos *Mahãdu Mahãdu*. E quem seriam, afinal, os homens que compõem este grupo intermitente? Os três autores aqui mencionados concordam em afirmar que os *Mahãdu Mahãdu* seriam os membros mais velhos da aldeia, tendo função puramente cerimonial. São anciãos, não participam das caçadas ou pescarias, mas preparam os alimentos oriundos destas caçadas. A comida e bebida dos *Mahãdu Mahãdu* é interdita aos outros dois grupos, assim como também é interdito o acesso à fogueira dos *Mahãdu Mahãdu* (que está sempre acesa junto aos esteios a eles correspondente) e, ainda, são eles os responsáveis pela distribuição ritual das partes da caça. Os membros posteriores e a cabeça são dados aos *Iboó Mahãdu* (aos de cima), os membros traseiros são dos *Iraru Mahãdu* (os de baixo) e o meio, a parte mais gordurosa da caça pertence aos *Mahãdu Mahãdu*.

A tradução do nome *Hererawo* como corredor revela a curiosa concordância com a idéia de "meio" como local de passagem, onde se dá necessariamente a mobilidade. O *Hererawo* como passagem uniria as casas grande e pequena, assim como o nível terrestre liga estruturalmente os níveis subaquático e das chuvas, completando-se assim o edifício cósmico.

Ainda seria preciso dispor de dados sobre os *Ijoi* específicos, que possibilitariam uma análise formal mais completa. No entanto, seu agrupamento em divisões de "cima" e "baixo" e seu rearranjo para a formação de um grupo do meio parecem suficientes para se afirmar que os *Ijoi* são uma manifestação

---

³ Observaria que a produção etnográfica sobre os Karajá é bem mais vasta do que usualmente é levado a considerar o leitor dos trabalhos principais (como os três que aqui tomo como base referencial), abrangendo trabalhos como os de Fritz Krause (1940-1944), Georges Donahue (1982), Patrícia Rodrigues (1993), Bonilla Jacobs (2000), Marielys S.Bueno (1975, 1987), os pouco conhecidos trabalhos do suíço Hans Dietschy (1960, 1974, 1977), do uruguaio Vasquez (1959), os usualmente não lidos trabalhos em alemão de Paul Ehrenreich (1892, 1894), Matthias Bauer (1971), Rudolf Conrad (1997) e o praticamente inexplorado trabalho de Wilhelm Kissenberth (1912), cujas notas e arquivos da expedição de 1908 a 1911 pelo Araguaia, permaneceram guardados em arquivos da ex-Alemanha Oriental, dando origem ao que a historiadora alemã Anita Hermannstädter chamou recentemente de "a expedição esquecida" (2002).

de um princípio classificatório geral karajá que dispõe, em um eixo vertical, dois pólos fixos, cima e baixo e que são unidos e equilibrados por um centro, deles diferenciado, essencialmente móvel.

Em que, entretanto, os *Ijoi* karajá podem contribuir para uma discussão mais ampla em torno do debate acerca do dualismo Jê-Boróro? É isso que pretendo discutir a seguir.

A necessidade de uma reflexão mais detida em torno do problema do triadismo, inerente ao dualismo, é notada, ainda que timidamente, por diversos autores, até mesmo fora da antropologia. Antonio Cândido, numa discussão, no campo da crítica literária, acerca da obsessão dos estudos estruturalistas com o número dois (e com ele os binômios, as díades, as dicotomias) afirma que

> ... nas análises estruturalistas o dois freqüentemente desliza ou deveria deslizar para o três. Não o falso três, igual ao ponto eqüidistante que marca a simetria, e que para Jakobson é, nos poemas, uma espécie do lugar mágico do significado. Mas o três verdadeiro, no qual as unidades se encontram em pé de igualdade. Quando as ditas análises não deixam de vincular o deslizamento e se fecham na díade antinômica, temos as mais das vezes um sentimento de que falta alguma coisa para completar o panorama. (CÂNDIDO, 1974, p. 788).

Marcela Coelho de Souza, em recente revisão exaustiva da produção etnográfica sobre os Jê, inclui as proposições triádicas de Lévi-Strauss, lembrando que, ao intitular aquele clássico texto de "As organizações dualistas existem?", o autor pretendia que a resposta, que parece passar despercebida da maioria dos leitores, seria que não, as organizações dualistas não existem, o que existe é triadismo. Nas palavras da autora:

> ...a exploração em questão o levará justamente a propor que os diversos dualismos 'sociológicos' (com ou sem metades, e, no primeiro caso, sejam estas [metades] exógamas ou não) "supõem e recobrem" estruturas de aliança não dualistas, isto é, triádicas (SOUZA, 2002, p. 163).

Viveiros de Castro, entretido com o fenômeno do dravidianato amazônico e preocupado com a inclusão do terceiro elemento do parentesco, para além do consangüíneo e do afim (do qual o melhor exemplo talvez seja o cativo tupinambá), afirma:

O ternarismo, inerente ao regime concêncrico da sociabilidade amazônica [...] vai encontrar uma manifestação clara na forma daqueles que eu chamaria de 'terceiros incluídos', posições que escapam ao dualismo consangüíneos/afins e parentes/estrangeiros, e que desempenham funções mediadoras fundamentais (VIVEIROS DE CASTRO, 1993, p. 177-178).

No artigo em que propõe uma estrutura tripartite para se entender a organização social karajá, Pétesch acrescenta que esta seria o indício da posição intermediária dos Karajá no que ela afirma ser um *continuum* Jê-Tupi. Gostaria aqui de fazer uma digressão especulativa que me parece rentável para essa discussão. Suspeito que não somente o triadismo aponta para a posição intermediária dos Karajá, mas também ele pode ser uma ponte para cruzar as distâncias – teóricas – entre Brasil Central e Amazônia, ou, trocando em miúdos, entre Jê e Tupi.

O material aportado por outro grupo "problemático" parece caminhar na mesma direção e em sentido inverso aos Karajá. Os Munduruku são um grupo de língua tupi que compartilha de várias características tipicamente Jê, como aldeia circular com casa dos homens no centro e divisão em metades (MENGET, 1993). A descoberta, por Nimuendajú (2000), de um triadismo implícito, que parece tornar-se manifesto em ocasiões rituais (dado este não formulado, porém implícito no trabalho de Menget), nos faz supor que a explicitação de estruturas ternárias seria característico daqueles grupos que se encontram nesta liminaridade Jê-tupi. Assim como entre os Karajá, é no momento ritual dos Munduruku que uma estrutura triádica emerge como princípio classificatório e, em ambos os casos, classificando agrupamentos humanos.

Há ainda muito de especulação nessas hipóteses, ainda que pareçam bastante instigantes. Parece-me que há aí um filão a ser investigado. Espero que o material Karajá tenha se tornado esclarecedor dessas proposições, figurando como o caso mais explícito de triadismo, em que o ritual revela-se como o momento apropriado da manifestação de princípios classificatórios, como é o caso dos *Ijoi* Karajá.

Retornando ao título da comunicação, se Lévi-Strauss, no seu famoso artigo, pretendia pôr em questão a, digamos assim, realidade exaustiva das organizações dualistas, pretendi aqui, desculpada a presunção exagerada da comparação, reiterar o quanto pode ser instigante pensar a propósito das mediações triádicas, tenham elas ou não um "lugar" etnográfico necessário (Karajá, Munduruku ou o que seja) – eu preferiria pensá-los, antes, como "manifestações". Isso, no entanto, não significaria propor um esquema automático e mecânico, com uma irresistível vocação teleológica, sob a qual todos os problemas se condensariam como truísmos. O grau de abstração necessária de um modelo formal implica problematizar permanentemente os termos com os quais se pretende recortar as significações. Isso implica vencer as distâncias que separam objetos, como, por exemplo, "organização social" e "princípios de classificação".

Referências

BAUER, M. *Geistervorstellungen der Karajá (Brasilien)*. München: Ludwig Maximilians Universität, 1971.

BONILLA JACOBS, L. O. *Reproduzindo-se no mundo dos brancos*: estruturas KARAJÁ em Porto Txuiri. Dissertação de Mestrado. Rio de Janeiro, Museu Nacional – UFRJ, 2000.

BUENO, Marielys S. *Macaúba- uma aldeia Karajá em contato com a civilização*. Dissertação de mestrado. Goiânia, Universidade Federal de Goiás, 1975.
_____. *A Mulher Karajá de Macaúba*. Tese de Doutorado. Universidade de São Paulo, São Paulo, 1987.

CÂNDIDO, A. A passagem do dois ao três (contribuições para o estudo das mediações na análise literária): *Revista de História*. Ano XXV, vol. L tomo II. São Paulo, p. 787-800, 1974.

CONRAD. R. Weru Wiu: musik der maske weru beim Aruana-Fest der Karaja Indianers, Brasilien. *Bulletin de la Société Suisse des Americanistes*, Genebra, n. 61, p. 45-61, 1997.

DIETSCHY, Note à propos des Danses des Carajá; 'Pas de deux ' Amitié formelle et Prohibition de l'Inceste. *Bulletin de la Société Suisse des Américanistes*. n. 19, p. 1-5, 1960.
_____. L'Homme honteux et la Femme-crampon, En marge des 'Mytologiques' de Cl. Lévi-Strauss. *Bulletin de la Société Suisse des Américanistes*, n. 38, p. 35-40, 1974.
_____. Espace Social et 'Affiliation par Sexe' au Brésil Central (Karajá, Tapirapé, Apinayé, Mundurucu). *Actes du LVIIe Congrès Internationale des Américanistes*, vol. II p. 297-308. Paris, Societé des Américanistes, 1977.

DONAHUE, Georges R. *A contribution to the ethnography of the Karajá Indians of Central Brasil*. Tese de Doutorado. University of Virginia, Fairfax: Virginia, 1982.

EHRENREICH, P. Südamerikanisches Stromfahrten. *Globus*. Braunschweig (RFA). (LXIII), 1892.

_____. Beiträge zur Geographie Central Brasiliens. *Verhadlungen der Gesellschaft für Erdkunde*. Berlin, 1984.

HERMANNSTÄDTER. A. Eine vergessene Expedition. Wilhelm Kissenberth am Rio Araguaia 1908-1910. *Deutsche am Amazonas. Forscher oder Abenteuer?* Staatliche Museen zu Berlin. Berlin: Lit Verlag, 2002.

KISSENBERTH, W. Über die hauptsächlichsten Ergebnisse der Araguaya Reise. *Zeitschrift für Ethnologie* n. XLIV. p. 36-59, 1912.

KRAUSE, Fritz. Nos sertões do Brasil. *Revista do Arquivo Municipal*, anoVI, vol. LXVI-LXXV, 1940-1944.

LÉVI-STRAUSS, Claude. Les organisations dualistes existent-elles? *Antropologie Structurale*. Paris: Plon, 1958.

LIMA FILHO, Manuel F. *Hetohokÿ, um rito Karajá*. Goiânia: Editora da UCG, 1994.

MENGET, P. Notas sobre as cabeças Munduruku. In: VIVEIROS DE CASTRO, E.; CARNEIRO DA CUNHA, M., *Amazônia*: etnologia e história indígena. São Paulo: NHII/USP, FAPESP. p. 311-321, 1993.

NIMUENDAJÚ, C. *Cartas do Sertão – De Kurt Nimendaju para Carlos Estevão de Oliveira*. Apresentação e notas de Thekla Hartmann. Lisboa: Museu Nacional de Etnologia/Assírio e Alvim, 2000.

PÉTESCH, Nathalie. Divinités Statiques, hommes en mouvement. Structure et dynamique cosmique et sociale chez les indien Karajá du Brésil Central. *Journal de la Societé des Americanistes*. LXXIII, p. 75-92, Paris, 1987.

_____. A trilogia Karajá: sua posição intermediária no *continuum* Jê-Tupi. In: VIVEIROS DE CASTRO, E.; CARNEIRO DA CUNHA, M. *Amazônia*: etnologia e história indígena. São Paulo: NHII/USP, FAPESP. p. 365-382, 1993.

_____. *La pirogue de sable. Pérénité cosmique et mutation sociale chez les Karajá du Brésil central*. Paris: Peeters, 2000.

RODRIGUES, Patrícia. *O povo do meio. Tempo, cosmo e gênero entre os Javaé da Ilha do Bananal*. Dissertação de Mestrado. Universidade de Brasília, 1993.

SOUZA. M. C. *O traço e o círculo*: o conceito de parentesco Jê e seus antropólogos. Tese de Doutorado. PPGAS- Museu Nacional. UFRJ, Rio de Janeiro, 2002.

TORAL, André A. *Cosmologia e sociedade Karajá*. Dissertação de Mestrado. Rio de Janeiro, Museu Nacional – UFRJ, 1992.

VÁSQUEZ, W. 1959. *Los Karayá*: una sociedad ágrafa. Montevideo Publicações: Investigaciones y Estudios, Universidad de la República.

VIVEIROS DE CASTRO, E. Alguns aspectos da afinidade no dravidianato amazônico. In: VIVEIROS DE CASTRO, E.; CARNEIRO DA CUNHA, M. (Org.) *Amazônia*: etnologia e história indígena. São Paulo: NHII/USP, FAPESP. p. 149-210, 1993.

A GUERRA COMO ELEMENTO CONSTITUTIVO DA SOCIALIDADE DOS JÊ MERIDIONAIS

Juracilda Veiga (Unip)[1]

Introdução

Esse trabalho procura destacar a importância da guerra na constituição dos Jê Meridionais. Embora os estudos até o momento não nos permitam precisar quando essas sociedades se cindiram, é certa a origem comum de Kaingáng e Xokléng. Ambos partilham elementos de cosmologia, incluindo crenças e práticas relacionadas aos mortos e ao mundo dos espíritos. E um importante elemento comum na constituição da sociabilidade Kaingáng/Xokléng é a guerra.

Mesmo não tendo sido incomuns as guerras entre grupos netamente Kaingáng, não são essas lutas as mais rememoradas nas aldeias Kaingáng. Em vez disso, a tradição oral é rica em relatos de suas guerras com os Xokléng. Durante convivência e pesquisas entre os Kaingáng já tive oportunidade de ouvir e registrar relatos de guerras entre os dois povos nas comunidades do Xapecó (SC), Ivaí e Apucaraninha (PR), Nonoai, Rio da Várzea e Inhacorá (RS). Em alguns desses relatos é possível perceber com clareza não tratar-se de fatos ou circunstâncias episódicas, mas de uma prática cultural partilhada, constitutiva do modo de viver desses povos.[1] Compreender o significado dessas guerras nos dá a chave para entender tanto as alianças que diferentes grupos Kaingáng vieram a estabelecer com não-índios, como as relações interculturais entre povos que partilhavam um território comum. E nos permitirá compreender melhor os imprecisos limites entre essas duas sociedades.

---

[1] Coordenadora do Núcleo de Cultura e Educação Indígena da Associação de Leitura do Brasil (ALB).

Desembaraçando os fios

Kaingáng e Xokléng, consideram-se povos distintos, mas os estudos lingüísticos revelaram seu parentesco muito próximo. Diferentes autores, no entanto, entre os quais Wiesemann (1978) – que comparou dialetos do Kaingáng e o Xokléng – consideraram-os possuidores de línguas diferentes.

A denominação "Kaingáng" ficou mundialmente conhecida por meio do trabalho de Jules Henry, *Jungle People: A Kaingáng tribe of the highlands of Brazil* (1941), que é na verdade um trabalho sobre os Xokléng (povo que mais recentemente tem preferido autodenominar-se "Laklãnõ"). Os Laklãnõ, reduzidos hoje a menos de mil pessoas, estão concentrados na T.I. Ibirama (SC). Por sua vez, o povo dos que atualmente se denominam "Kaingáng" está concentrado em cerca de 30 áreas indígenas – que se distribuem pelos estados de São Paulo, Paraná, Santa Catarina e Rio Grande do Sul – com uma população em torno de 25 mil pessoas.

Francisco Schaden assim descreveu, há quase meio século, as diferenças mais evidentes entre os dois povos:

> Diferença importante entre os dois grupos é o botoque labial, usado somente pelos homens da tribo dos Xokléng e não pelos Kaingáng. A esse adereço devem aqueles a denominação de Botocudos, enquanto os Kaingáng se tornaram conhecidos como Coroados por cortarem o cabelo em forma de tonsura, costume em que, aliás, não se distinguem dos Xokléng.
> A festa de iniciação tribal, em que o jovem é admitido na categoria dos adultos, recebendo o seu primeiro botoque, é o acontecimento mais importante na vida social dos Xokléng. Entre os Kaingáng não se realizam ritos de iniciação e não é provável, tampouco, que essas cerimônias e o uso do botoque tenham existido entre eles em épocas antigas.
> Outro ponto importante em que diferem as duas culturas é a atitude em face dos mortos. Herbert Baldus teve oportunidade de estudar o culto aos mortos no posto indígena kaingáng de Palmas. Entre esses índios, o enterro do defunto é acompanhado de uma série de cerimônias e práticas tradicionais [...] Por sua vez, os Xokléng queimavam, numa fogueira especialmente preparada, o defunto e todos os objetos que lhe houvessem pertencido. A seguir, enterravam as partes não consumidas pelo fogo (SCHADEN, 1977, p. 88-89).[2]

---

[2] A publicação original do artigo, na *Revista de Antropologia*, data de 1958.

A opinião de Schaden foi amparada por Nimuendajú (em carta de 1944, endereçada ao lingüista Mansur Guérios), não poupando uma crítica à conhecida síntese de Métraux:

> Eu creio que Schaden teve razão quando separou os Kaingáng dos Botocudos. Sem dúvida, a língua destes é um mero dialeto do Kaingáng – vi, porém, este dialeto é mais diferenciado que qualquer outro, e a cultura das duas tribus apresenta divergências tão notáveis que só pode causar confusão chamar a ambas pelo mesmo nome; isto o Snr. mesmo notará quando um dia ler o artigo que Métraux escreveu para o Handbook of South American Indians, onde Kaingáng e Botocudos são tratados como uma e a mesma tribu (apud Nimuendajú; Guérios, 1948, p. 215).

Outras diferenças entre os dois povos foram apontadas por Hicks (1966) que, comparando as fontes bibliográficas disponíveis para ele, reafirmou a diferenciação proposta por Schaden (1977), agregando, entre outras características distintivas, as duas seguintes:

> a) One radical criterion of contrast between Kaingáng culture and Aweikoma [nota: Xokléng] culture is the relationship terminology [...] the Kaingáng prescribe marriage with the bilateral cross-cousin while the Aweikoma are non-prescriptive [...]
>
> b)The second radically significant cultural difference between the Kaingáng and the Aweikoma is that Kaingáng social structure is essentially dyadic [...] and that, contrarily, the social structure of the Aweikoma is essentially triadic, consisting of three social groups... (HICKS, 1966, p. 843-844).

Esses argumentos foram utilizados por mim para justificar um estudo aprofundado da organização social dos Kaingáng, que realizei em uma dissertação de mestrado (VEIGA, 1994) e voltei a tratar em meu doutorado (VEIGA, 2000).

O fato de Jules Henry ter referido os Laklãnõ pelo termo "Kaingáng" não é, no entanto, de todo injustificado. Henry apoiou-se no termo Xokléng *Kôinggëgn* (*homem*), e com isso talvez tenha apenas revelado, quase inadvertidamente, a dificuldade de uma separação radical entre os muitos grupos que partilham os traços culturais dos Jê Meridionais. Por seu turno, Borba

(1904 e 1908) talvez tenha levado longe demais uma cisão radical entre os dois grupos ao tomar o termo "Kaingáng" como generalizante para os grupos Jê "não-Botocudos". O termo "Kaingáng" é hoje difundido nessas comunidades e assumido com o significado de "índio". Esse termo atualmente é, por certo, aquele que unifica esse povo como autodenominação para fins externos (isto é, identifica-os como uma unidade diante dos "outros", dos não-índios e de outros povos indígenas).[3] Internamente, a identidade constitui-se basicamente pela pertença a uma metade/seção (ou pela 'marca', como eles referem-se às diferentes pinturas). Atribuo à aliança dos Kamẽ e Kaĩru com um terceiro incluído – os *Kaingáng*-Xokléng ou os *Aré*-Xetá-Guarani – a explicação para a existência de subgrupos nas metades Kaingáng.

O que esse último comentário quer destacar é a dificuldade que sempre se apresentou, aos observadores "estrangeiros", para realizar uma clara separação entre as práticas e formas próprias de cada uma dessas sociedades. Minha sugestão é de que essa dificuldade decorre das múltiplas, intensas e intrincadas formas de relação entre os muitos grupos locais "Kaingáng" e "Laklãnõ", a continuidade territorial entre eles e, possivelmente, a dificuldade de se estabelecer a realização "prototípica" de um ou outro desses arranjos específicos de cultura Jê no Sul do Brasil.

Os primeiros contatos registrados nos documentos mais antigos com grupos que podemos considerar seguramente como Jê Meridionais são os dos padres jesuítas espanhóis com os "Gualachos" nas reduções do Guairá entre 1626 e 1630 (MARTINS, 1937) e a expedição de Fernão Dias Paes Leme por 1660 até a Serra do Apucarana (LEME, 1980). Desses contatos, as informações detalhadas têm por fonte os jesuítas, e as mais consistentes (com descrição de práticas culturais) são pertinentes aos Xokléng (MONTOYA, 1628; 1630). Do registro jesuítico sobre esta "gente mui guerrera" – que também seria "exercitada en matar principalmente en tempo de borracheras a que son mui dados por averles dado la naturaleza mucha miel por los montes" – é esclarecedor o que se diz da relação com os mortos:

> Lloran mucho tiempo sus muertos y se es ele casique o deudo cercano matan dos o tres o mas conforme la calidad, a mitad indios y

---

[3] Usado com o sentido geral de "índio", o termo *Kaingáng* é também empregado para identificar outros grupos indígenas em oposição aos não-índios. Porém, é ainda assim o termo discriminador entre os – digamos – "verdadeiros Kaingáng" dos outros índios, pelo fato de que, quando aplicado a outros grupos, necessita vir acompanhado de um qualificativo (ex.: *Kaingáng Boróro*). Como termo "não marcado", *Kaingáng* sempre se refere a uma pessoa deste povo.

mitad indias para que en la otra vida le acompañen los varones y las hembras les hagan chicha...

    El modo que tienen de enterrar es este: lloran en casa al morto hasta que le pueden sufrir por el hedor, luego lo sacan al campo pegado al pueblo o en chacara de los parientes y alli hacen un çarco alto del suelo un estado y en el lo ponen coberto de para por cima, con el sol y frio se enjuga, estando ya seco hacen mucha chicha, limpian el lugar y en el se sientan todos a beber, y otros queman el cuerpo em mejio deaquel a plaçuela recojen las cenizas y hacen un hoyo y entierranlas, hacen en sima una casita mui pequeña redondaen la qual caabrá una persona sentada, levantanse todos y a grandes vozes dicen en su lengua: sal, sal; vete, vete repetiendolo muchas vezes a grandes gritos com los quales dicen que sube al çielo. Cada año limpian aquel lugar sus deudos y sus caciques hacen un monton de tierra sobre la sepultura. No tienen adoración ni ýdolos pero tienen hechizeros que su çiencia no es mas que adevinar y decir mentiras... (MONTOYA, 1628, p. 295-298).

E, tratando da "reducçion de la Concepçion de los Gualachos":

Tienen conocim.to de dios y q es criador de todas las cosas y q esta en el cielo pero com esto tienen otras cosas barbaras hecho como de personas q no tiene lumbre de la fee, dicen que pueden ellos embiar las animas de sua difuntos al çielo para o qual luego q muere alguno no lo entierran, sino le haçen un lecho en alto y le cubren muy bien com paja, y alli lo dejan para q se sequen y se suellen levar chicha. todo el tiempo q esta alli y le van a viçitar a menudo y ver si se ha secado, y en este mismo tiempo todos los dias q el sol sale e si pone haçen los de su casa un llanto mui solemne, en el qual suelen sacar y mostrar en público las cosas q na quedade del difunto com q se augmenta mas el llanto, y q.do el cuerpo esta ya seco buscan mucha miel y haçen mucho vino y combidan a todos los del pueblo para embiar el alma del difunto al cielo y para esto se van al monte y haçen unas buenas cargas de leña y las traen correiendo com muchas trompetas e greteria a casa del caciq adonde estan todos juntos yndios y yndias, y de alli salen corriendo diçiendo todos estas palabras rica rica tapa tapa q quiere deçir sube sube del campo, llevando aquelas cargas de leña dando una buelta al deredor del cuerpo, y luego le pegan fuego, diçiendo nĩyĩ chĩ cay catũ taplĩ, humo negro sube al çielo, dando grandes voçes todo al tiempo que se quema y si el humo sube derecho diçen q va su alma al çielo, y se se esparse diçen que queda alli, y assi les façen luego una caçilla muy pequeña y la cubren y suellen llevar de comer, y tienen tanta fee en esto q suelen decirq haçen esto concurriendo todos al combite porq otros hagan lo mismo q.do murieren y por esta causa al princípio encubrian los enfermos porq no los baptiçasen por enterrarlos de aquel modo (MONTOYA, 1630, p. 346-347).

As práticas descritas por Montoya mostram traços comuns desses Gualachos/Chiquis com os Kaingáng atuais, como a chicha de mel (a bebida *kiki*) e os rituais para separar os vivos dos mortos. O que difere das práticas hoje realizadas pelos Kaingáng é a cremação dos mortos registrada entre os Gualachos. Os Kaingáng atuais enterram seus mortos, mas relatam práticas antigas pelas quais as pessoas do subgrupo Wonhétky não podiam ser enterradas no cemitério; se o fossem, muitas pessoas morreriam, porque o Wonhétky *come o espírito dos outros* (VEIGA, 2000, p. 87). Sempre me pareceu estranho que um povo que investe tanta energia para manter uma boa relação com os mortos, justamente deixasse alguém insepulto. A pergunta que cabe é: qual seria o destino dado a essa parcela dos Kaingáng? Poderiam, no passado, ser cremados? Se a resposta for afirmativa teríamos um ponto para considerar que essas seriam pessoas Xokléng incorporadas e, portanto, os Kaingáng respeitariam a forma Xokléng de liberar o espírito do morto.

Parentesco e casamento, metades e seções

Além da marca lingüística anteriormente descrita e da cremação dos mortos entre os Xokléng, a organização social de ambas as sociedades Jê Meridionais apresenta diferenças marcantes: enquanto os Kaingáng estão divididos em metades exógamas, os Xokléng – segundo Jules Henry – possuíam três patriclãs, traçando suas genealogias até o primeiro ancestral comum.[4] Comparando as terminologias de parentesco Xokléng e Kaingáng, vemos que ambos possuem sistemas de duas seções. Pode-se sugerir que os Xokléng utilizassem uma terminologia de parentesco Dravidiana (isto é, egocentrada), enquanto a terminologia Kaingáng é do tipo Kariera (ou sociocentrada). Tanto

---

[4] As afirmações sobre organização social Xokléng precisam ser apresentadas no pretérito (daí a forma *possuíam*), uma vez que, mesmo que se confirmarem, os dados disponíveis são muito antigos, não permitindo qualquer afirmação sobre a realidade atual daquela sociedade.

Hicks (1966) quanto Urban (1978) aproximam a organização dos Xokléng ao sistema de metades dos Kaingáng, mas é possível que os Xokléng fossem fratrias com uma direção preferencial de alianças. É possível, ainda, que a relação entre eles seja comparável àquela observada entre Xavantes orientais e ocidentais: enquanto os primeiros possuem três patriclãs exógamos (*Pereya'ono*, *Ö Wawẽ* e *Toptató*), devendo o cônjuge ser buscado fora do clã em qualquer um dos outros dois grupos, os Xavantes Ocidentais ressaltam que os *Ö Wawẽ* e *Toptató* não se casam entre si trocando mulheres ambos com os Toptató (Cf. MAYBURY-LEWIS, 1984, p. 120).

Henry (1941) afirmou que os casamentos entre os Xokléng ocorriam como reduplicação de alianças entre famílias, o que seria compatível com a organização Kaingáng. Num modelo esquemático, a organização social Kaingáng estava baseada na aliança entre dois chefes de família extensa: um **Kamẽ** e um **Kaĩru**. Numa estrutura hipotética, em que uma comunidade se restringisse a dois "cabeças" (*põ'i*) ou chefes de família extensa, os laços políticos são fortalecidos pela reduplicação da aliança por meio do casamento de seus filhos. Os filhos de **Kaĩru**, ao casar-se, vão servir ao sogro **Kamẽ** (cunhado de seu pai). As filhas de **Kamẽ** vão gerar os descendentes de **Kaĩru**, que serão, no entanto, criados na casa **Kamẽ** (Cf. VEIGA, 2000, p. 94-95).

São preciosas, para essa discussão, as observações de Nimuendajú, só recentemente tornadas acessíveis com a publicação de sua correspondência a Carlos Estevão de Oliveira (Cf. NIMUENDAJÚ, 2000). Na mesma publicação se incluiu, como anexo, uma carta de 1933, escrita a Eduardo de Lima e Silva Hoerhan, funcionário do Serviço de Proteção ao Índio (SPI) que foi o "pacificador" e "tutor" dos Xokléng, no alto curso do braço Norte do Rio Itajaí. Essa carta renova o interesse no estudo comparativo Kaingáng-Xokléng. Desde meu trabalho de 1994 tenho me colocado – talvez por influência de outros textos de Nimuendajú – as mesmas questões que ele dirige a Hoerhan sobre a relação entre Xokléng e Kaingáng, até o momento insuficientemente respondidas. Eis alguns trechos reveladores da carta (NIMUENDAJÚ, [1933] 2000):

Causou-me grande surpresa a afirmação do Snr. que a tribo era dividida em três grupos exogâmicos:

1. Uvanhecú-caicá (mé-vídn)
2. Crên-ndô-caica (mé-calêbn) e
3. Zêit-tschá cailê-caicá (mêcúi-ken).

De fato, a organização trial que existe entre certas tribos norte-americanas (os célebres 'últimos' Mohicanos, p.ex), é até hoje completamente desconhecida na América do Sul, onde só tenho conhecimento de uma organização dual entre as tribos indicadas no Croquis III. Como o Snr vê, esta forma de organização exogâmica (a dual) parece ser outra característica dos povos Gê, pelo menos dos três grandes grupos ocidentais desta família lingüística.

Permita-me que volte mais uma vez ao caso dos Kaingáng. Para evitar confusão, chamarei sempre de 'moieties' os grupos exogâmicos da organização dual:

Os Kaingáng são divididos em duas moieties, exogâmicas e não localizadas, quer dizer, em qualquer bando ou toldo Kaingáng do Tietê ao Santa Rosa, encontram-se membros de ambas as moieties em número aproximadamente igual. A divisão em moieties nada tem a ver, portanto, com a divisão em bandos locais. Segundo um mito Kaingáng, saíram dois irmãos ancestrais dessas metades, Kamé e Kanyerú, de duas cavernas na serra Kri-sé (Serra da Pitanga?). Os descendentes de Kamé têm o nome de Kamé-kré (filhos de Kamé) ou Reyóyó-agn (os riscados), sendo o primeiro nome pouco usado. Nas festas e nos funerais eles usam pintura preta em forma de riscos. Como o Snr. vê, eles correspondem exatamente aos Crên-ndo-caicá (Mê-calêbn) dos Botocudos. – Os descendentes de Kanyerú são chamados Kanyerú-kré (filhos de Kranyerú (sic)) ou Ridniví-agn (os pontilhados) e sua pinta consistia em pontos. Correspondia portanto aos Uvanhêcú-caicá (Mêvidn) dos Botocudos. Membros da mesma metade tratam-se reciprocamente de 'rengrê' (irmão), membros de moieties diferentes usavam o termo 'yambré' (genro, cunhado).

Até aí tudo corresponde muitissimamente bem; mas agora o Snr. diz haver entre os Botocudos um terceiro grupo exogâmico que usa pintura em forma de círculos. Mais adiante o Snr. descreve mais três grupos com pinturas distintas:

        os Mê-to páa-pa (dos Mê-vídn)
        os Zôo-zi mê-calêbn (dos Mê-calêbn?) e
        os Cúi-kent-cun mê-vídn (outra vez Mê-vídn?) (dos Zêit-tschá caile, caicá). A pintura dos Mê-to páa-pa, diz o Snr., consiste em manchas largas em lugar de pontos. A instituição destes três últimos grupos lhe pareceu um fenômeno injustificável, prenunciador da decadência da tribo.

Entre os Kaingáng do Ivaí existia, porém, a seguinte organização: afora a divisão em bandos locais (toldos ou aldeias) e a divisão em moieties exogâmicas, os membros da tribo eram divididos em pelo menos três graus ou classes. Estas três classes, que nada têm a ver com exogamia, se distinguem por pinturas que formavam variações das pinturas das moieties e eram representadas tanto entre os Kamé como entre os Kanyerú. Chamavam-se estas classes Paí, Votórõ e Penye. A pintura dos Paí distinguia-se pela sua miudez, a dos Votórõ era formada de círculos, e a Pényé consistia em manchas!

Os Votórõ dos Kaingáng são visivelmente os Zêit-taschá cáilê-caicá (mê-cui-kên) dos Botocudos que, segundo o Snr., formam uma terceira divisão exogâmica. Os Mê-to páa-pa dos Botocudos correspondem exatamente a Kanyérú-ag-Votóro dos Kaingáng. Falta entre os Botocudos o grupo que correspondesse aos Kamé-ag-Votouro, aos Kanyerú-ag-Paí e aos Kamé-ag-Paí dos Kaingáng. Temos, portanto, o seguinte quadro de correspondências:

A. Grupos exogâmicos:	Botocudos	Kaingáng
pinturas de pontos	Uvanhecu-caicá	Kanyerú
pinturas de riscos	Crên-ndô-caicá	Kamé
pinturas de anéis	Zêit-tschá-cailê-caicá	(v. a classe Votóro!)
B. Classes:	- ? -	Kanyerú-ag-Paí
	- ? -	Kamé-ag-Paí
	Cui-kênt-cun mêvidn	Kamé-ag- Votouro (pint)
	- ? -	Kamé-ag-Votouro (de anéis)
	mê-to páa-pa	Kanyerú-ag-Pénye (pint.de)
	Zôo-zi mê-calêbn	Kamé-ag- Votouro (manchas)

Sobre as funções das classes não estou suficientemente informado. Sei que há um aumento de tabus dos Pénye para os Vótóro e destes para os Paí. Estes últimos são tidos como especialmente finos e sujeitos a más influências, sobretudo aquelas que emanam dos defuntos: não podem aproximar-se de um cadáver sem risco de morrer logo também. Só Paí tomam assento sobre o Kuru branco durante as festas cujo final consiste na primeira visita feita pelos rapazinhos novos ao cemitério. Os Pénye, pelo contrário, passam por resistentes, razão porque cabe papel importante nos funerais e junto da viúva. A cada uma dessas 2 X 3 classes pertence uma série de nomes pessoais, de maneira que independentemente da pintura, o entendido conhece logo pelo nome da pessoa a classe e a *moiety* a qual ela pertence. Enquanto a metade regula a descendência paterna, a classe é escolhida arbitrariamente pelo pai da criança quando dá o nome a esta. (p. 342-345).

E sobre os Xokléng:

Veja agora como tudo isso concorda com o que o Sr. escreveu: que a criança "pode pertencer, indistintamente a qualquer uma das castas (classe) que se tornaram simplesmente convencionais" e "apesar dessa filiação fictícia, ser recebida – sem mais nem menos – com o nome, sempre foi observada rigorosa exogamia entre os pintados". É porque os três subgrupos dos Botocudos e as classes dos Kaingáng não representam absolutamente uma mera invenção fútil em prejuízo das divisões exogâmicas, sintoma de degeneração "que toca as raias do caricato", como diz o Snr., mas uma organização com funções cerimoniais, diferente da organização exogâmica, se bem que intimamente ligada a esta. A relação existente entre as moieties exogâmicas e as classes pode ser demonstrada melhor pelo seguinte diagrama:[5] [...]

Permita-me agora umas observações sobre alguns outros pontos da sua última carta:

a) A organização exogâmica, dual ou trial, não obsta o casamento entre parentes próximos. Por ela, um Botocudo ou um Kaingáng podia casar-se sem escrúpulo com a filha da tia materna,[6] sua prima em primeiro grau, porquanto só lhe é vedado pela mesma lei a união com a filha de seu tio paterno, pois devido à sucessão patrilineal, só esta pertence ao mesmo grupo. O abandono da organização exogâmica podia contribuir entre os Botocudos para a balbúrdia social, mas por si só não pode ser causa do seu "completo abastardamento", porquanto existem inúmeros povos sem o menor sintoma de degeneração e que nunca tiveram organização exogâmica, qualquer que fosse.

b) Também quando tribos com uma lavoura primitiva ou nenhuma se dividem em bandos locais, como o fizeram os Botocudos, Kaingáng, etc., não é isto um sintoma de degeneração, mas sim em primeiro lugar uma necessidade econômica: com os recursos que sua cultura primitiva lhes oferecia, os 400 Botocudos da época da pacificação

---

[5] Nota 247 da organizadora: *O diagrama não foi encontrado*.

[6] Informação incoerente. Possivelmente um problema de transcrição, pois deveria ser: "um Kaingáng podia casar-se sem escrúpulo com a filha do tio materno, sua prima em primeiro grau, porquanto só lhe é vedado pela mesma lei a união com a filha de seu tio paterno, pois devido à sucessão patrilineal, só esta pertence ao mesmo grupo". Uma filha de tia materna é, para um Kaingáng, uma irmã, uma vez que sua tia se casará, como sua mãe, com um homem da marca do pai de Ego, e sua prima será, portanto, da mesma metade que ele.

não podiam se conservar reunidos. A divisão em bandos locais só é prejudicial se exagerada e os bandos se tornam hostis uns para os outros. No caso dos Botocudos, o processo pode ter sido o seguinte: pelo esfacelamento em muitos bandos pequenos e hostis, a manutenção da organização exogâmica tornou-se impossível devido ao número reduzido de indivíduos de que se compõem esses bandos. O mesmo vale para a organização de 2 X 3 classes. Se a unidade se compõe de umas 400 cabeças, as esposas possíveis para o rapaz solteiro estão em número de 20 (organização dual) ou de 30 (organização trial), mais ou menos. Num bando de 30 cabeças teria que escolher entre uma média de 2 (ou 3), e bastava qualquer circunstância especialmente desfavorável para ele ser obrigado a quebrar a lei da exogamia. Mas então o abandono da organização dual (ou trial) e de outras de caráter cerimonial ou religioso não é a causa do esfacelamento e da diminuição do número como supõe o Snr., mas a conseqüência. É isto o que eu tenho observado, p. ex. ainda há pouco entre os Apinayé.

c) "O sentimento da tribo desapareceu" diz o Snr. Mais provável me parece que ele nunca tivesse existido; os Botocudos ficaram separados dos Kaingáng provavelmente já em era pré-colombiana e talvez pela expansão das tribos Guarani do sul do Brasil. É óbvio que na ocasião desta separação formavam um só grupo que neste momento se considerava uma unidade. Mas o que se separava então da tribo proto-Kaingáng já era um bando local, que só podia levar a sua existência à parte o sentimento de bando e não de tribo, e que talvez já se separou em estado de hostilidade. Este é o processo de formação de "bandos" que depois, encontrando condições favoráveis, podem evoluir para verdadeiras tribos, sem jamais chegar porém à consciência disto." (NIMUENDAJÚ, [1933]; 2000, p. 347-348).

Em meu trabalho de 1994 atribuo a existência de subgrupos ou seções dentro de cada uma das metades à necessidade de dar um lugar social às pessoas capturadas nas guerras entre Kaingáng e Xokléng, sendo incorporadas na metade dos que se pintam com marcas redondas, mas distintos dos "verdadeiros filhos" de Kaĩru (um dos pais ancestrais dos Kaingáng). No caso, seriam os Votor, que se pintam com círculos, e são parte das classes cerimoniais. Embora as correspondências entre os subgrupos Kaingáng e Xokléng não sejam as mesmas, as análises de Nimuendajú e as minhas próprias chamam atenção para algumas correspondências significativas nas pinturas entre

Kaingáng e Xokléng, que só podem ser melhor entendidas com estudos mais detalhados sobre os Xokléng atuais. A proximidade dos Kaingáng e Xokléng e as diferenças de seus arranjos matrimoniais parecem constituir um caso interessante para discutir a aplicação dos modelos dravidiano e kariera, bem como a construção da diferença em sociedades que partilham a mesma cultura.

Guerra e inimigos preferenciais

Como está dito, entre os traços culturais partilhados por Kaingáng e Xokléng está a importância da guerra, as práticas de roubo de mulheres e crianças dos grupos rivais. Situações semelhantes são encontradas em qualquer parte do mundo, e em nossa história se registra com farta documentação a grande proximidade cultural e, ao mesmo tempo, as guerras sangrentas, de Tupiniquins e Tupinambás.

Como afirma Viveiros de Castro, para os indígenas "nenhuma diferença é indiferente, toda diferença é imediatamente relação, dotada assim de positividade; a 'hostilidade' não é um nada, mas uma relação socialmente determinada" (VIVEIROS DE CASTRO 1993, p. 185).

Considero fundamental, para o avanço da compreensão dos Jê Meridionais, a compreensão da guerra entre Kaingáng e Xokléng como fator constitutivo de sua socialidade, como já adiantei.

A socialidade entre os Kaingáng comporta relações de reciprocidade, proteção e predação. A reciprocidade é esperada entre homens de metades diferentes, entre mulheres consangüíneas e entre consangüíneos de sexos diferentes, isto é, irmão e irmã. Predação é constitutiva da relação entre inimigos: humanos x humanos, humanos x animais, e humanos mortos com relação aos vivos (VEIGA, 2000, p. 145).

A guerra, o roubo de mulheres e crianças e a vingança são parte fundante da vida Kaingáng e Xokléng anterior ao contato. Descola afirma que: "o roubo de crianças é a expressão da filosofia de predação, segundo a qual a apropriação junto a outrem de substâncias, identidades e pessoas é condição necessária para a perpetuação de si" (cf. DESCOLA, 1998, p. 35).

A guerra faz parte da forma de ocupação e dispersão territorial e da própria forma de exercer o poder no grupo. A organização social Kaingáng (e seu padrão de ocupação do meio) comporta um limite possível de indivíduos para manter a coesão. Ultrapassando esse limite a disputa pela liderança faz cindir o grupo, buscando os dissidentes outros lugares para organizar sua aldeia permanente. Aquele que liderava a cisão sempre contava com o apoio incondicional do seu cunhado. Portanto, essa aliança primordial entre as metades permanecia. Assim, os que eram amigos viviam juntos e eram aliados, mas se houvesse um desentendimento o grupo se cindia e, então, a guerra tornava-se possível. Depois de uma guerra se podia selar um compromisso de paz, realizando casamentos intergrupos. Guerra e casamento são, desse modo, as duas formas de se realizar as relações entre esses grupos.

Para Pierre Clastres "um dos objetivos da guerra, afirmados com insistência por todas as sociedades primitivas, é a captura de mulheres" (1982, p. 196). Clastres contesta a posição de Lévi-Strauss de que a sociedade primitiva é uma sociedade contra a guerra e baseada na troca:

> Não é a troca que é a primeira, mas a guerra, inscrita no modo de funcionamento da sociedade primitiva. A guerra implica a aliança, a aliança suscita a troca (entendida não como diferença do homem e do animal, como passagem da natureza à cultura mas, é claro, como desdobramento da socialidade da sociedade primitiva, como livre jogo de seu ser político). É através da guerra que se pode compreender a troca e não o inverso. A guerra não é um fracasso acidental da troca, a troca é que é um efeito tático da guerra. Não é como pensa Lévi-Strauss, o fato da troca que determina o não-ser da guerra, é o fato da guerra que determina o ser da troca. O problema constante da comunidade primitiva não é: com quem vamos trocar? mas: como poderemos manter nossa independência? O ponto de vista dos selvagens sobre a troca é simples: é um mal necessário; já que precisamos de aliados, é melhor que sejam cunhados (CLASTRES, 1982, p. 197-198).

Dos Kaingáng de Inhacorá (RS), tenho ouvido que sua comunidade é o resultado de uma aliança entre a gente do cacique Fongue – que habitava o Guarita – e a gente do Silva, vindo da outra margem do Rio Uruguai (Misiones, Argentina). Fongue, um prestigiado líder guerreiro, decidiu combater o grupo de Misiones, mas foi militarmente derrotado, só lhe restando, praticamente, as mulheres de seu grupo. Atraiu, então, um dos guerreiros do outro grupo e lhe ofereceu uma de suas irmãs, propondo-lhe ir viver com sua gente (de Fongue), no Inhacorá. A celebração dessa aliança deu origem à atual aldeia de Inhacorá.

Aliados ou inimigos parecem ser relações circunstanciais e, portanto, ainda mal compreendidas por nós. Mais que isso, de um ponto de vista externo, parecem ser relações ambíguas, como registrou Carlos Fausto, em seu trabalho sobre os Parakanã, acerca da relação existente entre amigo e inimigo:

A relação entre amigos é tão íntima e oposta, como aquela que une matador e sua vítima. O auto-recíproco pajé bifurca-se no horizonte do possível em duas figuras contrárias: o homicida e sua presa. Meu amigo ou é "minha futura vítima" (jeremia-roma) ou "meu futuro algoz" (je-ropia-roma). E isso vale não apenas para os inimigos-amigos, mas também para os amigos formais parentes entre si. Nos conflitos intestinos, quando uma facção decide despachar alguém, cumpre a seu pajé fazer o serviço (FAUSTO, 2001, p. 294-295).

Narrativas que ouvi entre os Kaingáng registram que quando realizavam festas, convidavam todas as aldeias de algum modo aparentadas, até mesmo rivais. A obrigação de honrar os ancestrais mortos os impedia de declinar do convite. Mas vinham com medo e armados. De longe vinham "falando de mansinho" (**vĩ xéria** = *falar com carinho*), explicando que vinham em paz. Os Kaingáng do Xapecó contam, por exemplo, que os Xokléng ficaram durante três anos morando com eles no local chamado Toldo Velho (hoje fora da terra indígena do Xapecó), local que os Kaingáng conhecem até hoje como **Vĩ xéria**, por ter sido o local onde os Xokléng falaram com eles.

Confirmando que essas aproximações e eventuais alianças com Xokléng não eram tão esporádicas, está o fato de que em muitas aldeias conheci ou ouvi falar de membros que são descendentes de Xokléng (ou "Botocudos").

Nesse contexto, é relevante observar que entre os Kaingáng a relação entre os cunhados é mais forte do que a relação entre os irmãos. As dissidências normalmente acontecem entre pessoas da mesma metade (consangüíneos) e não entre cunhados (afins).

Estudo comparativo ainda por fazer

O primeiro trabalho realizado com o objetivo de estudar a "totalidade" dos povos Jê foi o Projeto Harvard-Brasil Central, coordenado por David Maybury-Lewis, que não abrangeu os Jê Meridionais. Recentemente, Marcela de Souza realizou um novo trabalho, aproximando os estudos de parentesco e a noção de pessoa nas sociedades Jê. Num primeiro artigo, publicado em 2001, "deixou de lado" aquelas sociedades "em que a presença de categorias 'de descendência' – clãs e metades unilineares exógamos – intervém sobre a classificação", o que colocaria "problemas suplementares", que ultrapassariam seus objetivos (SOUZA, 2001, p. 70). Desse modo produziu um recorte que tomou em conta, dos Jê Meridionais, apenas os Xokléng (de Henry). Posteriormente, Souza (2002) incorporou os Kaingáng na sua análise comparativa dos povos Jê, considerando os dados de

Veiga (1994; 2000), mas (novamente) sem poder contar com dados recentes sobre os Xokléng para aprofundar suas conclusões.

Ao longo de minhas pesquisas, desde o início da década de 1990, as situações apresentadas foram revelando uma relação recente muito mais amalgamada entre Kaingáng e Xokléng do que cada um deles gostaria de admitir. Isso me instiga a procurar entender como se davam as relações entre os dois povos Jê Meridionais, no momento do contato entre ambos e a sociedade nacional. O estudo dos dois povos Jê Meridionais em conjunto me parece o caminho natural para avançar nossa compreensão sobre os Kaingáng–Xokléng e, avançando nosso conhecimento sobre os povos Jê, descobrir o ponto de passagem entre o modelo de organização dos povos Jê a as Sociedades Amazônicas.

Referências

BERNARDI, Bernardo. *Introdução aos estudos Etno-antropológicos*. Lisboa: Edições 70, 1974.

BORBA, Telêmaco M. Breve notícia sobre os índios Caingangs. *Revista Mensal da Secção da Sociedade de Geografia de Lisboa no Brasil*. Rio de Janeiro, 1883 (Tomo II), p. 30-36.

_____. Observação sobre os indígenas do Estado do Paraná. *Revista do Museu Paulista*. São Paulo, 1904 (VI), p. 53-62.

_____. *Atualidade indígena*. Curitiba: Impressora Paranaense, 1908.

CIMITILE, Fr. Luiz de. Memória dos costumes e religião dos Índios Camés ou Coroados que habitam a Província do Paraná. *Revista Paranaense*. Curitiba, 1882, p. 274-287.

CHAGAS LIMA, Pe. Francisco das. Memória sobre o descobrimento e colônia de Guarapuava. *Revista do Instituto Histórico e Geográfico Brasileiro*. Rio de Janeiro, 1842, (IV), n. 13, p. 43-64.

_____. Estado atual da conquista de Guarapuava no fim do ano de 1821. In: FRANCO, A. M. *Diogo Pinto e a conquista de Guarapuava*. Curitiba: Museu Paranaense, 1943, p. 233-268.

DESCOLA, Philippe. *Estrutura ou sentimento*: a relação com o animal na Amazônia. Mana, 1998, v. 4, n. 1, p. 23:45.

FAUSTO, Carlos. *Of enemies and pets*: warfare and shamanism in Amazonia. American Ethnologist, 1999, v. 26, n. 4, p. 933-956.

_____. *Inimigos fiéis*: história, guerra e xamanismo na Amazônia. São Paulo: Edusp, 2001.

HENRY, Jules. *Jungle people*: a Kaingáng tribe of the highlands of Brazil. 2. ed. New York: Vintage Books, 1964 [1. ed.: J. J. Augustin, 1941].

HICKS, David. The Kaingáng and the Aweikoma: a cultural contrast. *Anthropos*, 1966, v. 61, p. 839-846.

MAYBURY-LEWIS, David (Ed.) *Dialectical societies*: the Gê and Boróro of Central Brazil. Cambridge: Harvard University Press, 1979.

_____. *A sociedade Xavante*. Trad. A. L. da Silva. Rio de Janeiro: Francisco Alves, 1984.

MONTOYA, Pe. Antonio Ruiz de. Carta ânua do Pe. Antonio Ruiz, superior da Missão do Guairá, ao Pe. Nicolau Duran, provincial da Companhia de Jesus. 02.07.1628. *Manuscritos da Coleção De Angelis. I – Jesuítas e Bandeirantes no Guairá (1549-1640)*. Rio de Janeiro: Biblioteca Nacional, 1951, p. 259-298.

_____. Relação da origem e estado atual das Reduções de Los Angeles, Jesus Maria y Conceição dos Gualachos. 1630. *Manuscritos da Coleção De Angelis. I – Jesuítas e Bandeirantes no Guairá (1549-1640)*. Rio de Janeiro: Biblioteca Nacional, 1951, p. 342-351.

NIMUENDAJÚ, Curt. Carta a Eduardo de Lima e Silva Hoerhan. Belém do Pará , 10 de Dezembro de 1933. In _____ *Cartas do sertão:* de Curt Nimuendajú para Carlos Estevão de Oliveira. Apêndice 1. Lisboa: Museu Nacional de Etnologia / Assírio & Alvim, 2000, p. 337-352.

SCHADEN, Francisco. Xokléng e Kaingáng. In: SCHADEN, E. (Org.). *Homem, cultura e sociedade no Brasil*: In: SELEÇÕES DA REVISTA DE ANTROPOLOGIA. 2. ed. Petrópolis: Vozes, 1977, p. 79-89.

SOUZA, Marcela Coelho de. Nós os vivos: "construção da pessoa" e "construção do parentesco" entre alguns grupos Jê. *Revista Brasileira de Ciências Sociais*, 2001, v. 16, n. 46, p. 69-96.

_____. *O traço e o círculo. O conceito de parentesco entre os Jê e seus antropólogos*. Tese de Doutorado. Rio de Janeiro: PPGAS- Museu Nacional/UFRJ, 2002.

URBAN, Gregory. *A model of Shokleng social reality*. Chicago: University of Chicago, 1978.

VEIGA, Juracilda. *Organização Social e Cosmovisão Kaingáng*: uma introdução ao parentesco, casamento e nominação em uma sociedade Jê Meridional. Dissertação de Mestrado. Campinas: Unicamp, 1994.

_____. *Cosmologia e práticas rituais Kaingáng*. Tese de Doutorado, Campinas: IFCH-Unicamp, 2000.

VIVEIROS DE CASTRO, Eduardo B. Alguns aspectos da afinidade no dravidianato Amazônico. In: CASTRO, E. V.; CUNHA, M. C. (Org.). *Amazônia*: etnologia e história indígena. NHII/USP/FAPESP, 1993, p. 149-210.

WIESEMANN, Ursula. *Dicionários Kaingáng-Português e Português-Kaingáng*. Brasília: Summer Institute of Linguistics/ Funai, 1971.

_____. Os dialetos da língua Kaingáng e Xokléng. *Arquivos da anatomia e antropologia*. Rio de Janeiro: Instituto de Antropologia Prof. Souza Marques, 1978, n. 3, p. 197-217.

A FLEXÃO NOMINAL EM UMUTÍNA

Stella Telles (UFPE /Lali-UnB)[1]

A língua Umutína pertence à família Boróro, a qual é integrante do tronco Macro-Jê (RODRIGUES in SCHULTZ, 1962, p. 100; RODRIGUES, 1986, p. 56). O povo Umutína vive em terra indígena homônima, localizada ao norte da cidade de Cuiabá, Estado do Mato Grosso. O presente trabalho resulta de uma releitura de Lima (1995) associada ao exame de novos dados coletados entre 1996 e 1997, com o último conhecedor da língua em questão. Lamentavelmente, desde o primeiro trabalho de campo, em 1995, a língua já se encontrava em estágio de obsolescência bastante avançado, e o seu falante remanescente apresentava uma memória quase unicamente restrita ao léxico e a poucas sentenças isoladas. Entende-se, contudo, que, não obstante os dados assistemáticos e a impossibilidade de testá-los impediram um maior aprofundamento descritivo e analítico da língua, os mesmos constituem registros válidos que podem acrescentar informações ao conhecimento e à classificação do agrupamento das línguas Macro-Jê, assim como ao estudo das relações entre elas e as demais línguas indígenas sul-americanas.

O presente trabalho aborda a classe do nome em Umutína e procura explanar alguns dos processos morfológicos e morfofonológicos observados. O nome é sintaticamente caracterizado por constituir núcleo de sintagma nominal, funcionando como argumentos principais de predicados verbais, complemento de posposições e núcleo de predicado nominal. Do ponto de vista formal, a classe do nome em Umutína é extremamente simples. Ela se caracteriza, essencialmente, por apresentar o processo de flexão de número, particularmente em lexemas que representam entes animados. Além disso, as duas classes maiores da língua – o nome e o verbo – têm em comum o

---

[1] Coordenadora do Núcleo de Cultura e Educação Indígena da Associação de Leitura do Brasil (ALB).

fato de receberem as mesmas marcas morfológicas de pronomes pessoais.[2] Nos nomes, as marcas pronominais expressam a relação de posse, enquanto nos verbos os morfemas homófonos assumem a função sintática de argumentos nucleares. A classe nominal divide-se semanticamente em nomes possuídos e não-possuídos. Entre os nomes possuídos, estão aqueles que expressam relação de posse alienável, de propriedade acessória, permanente ou necessária (objetos pessoais, fogueira, roça) e inalienável, cuja relação de posse é inerente, (parte do corpo e termos de parentesco, relações mitológicas). Não há distinções formais entre as expressões de posse de itens semanticamente alienáveis e inalienáveis. Os nomes não-possuídos, por sua vez, são aqueles que referenciam elementos/seres da natureza e nomes próprios. Entretanto, quando se quer expressar relação de posse com itens essencialmente não-possuídos (tais como animais, plantas ou víveres em geral), faz-se necessária a ocorrência de uma base possessiva {aw} entre o pronome (possuidor) e o nome (possuído).

O trabalho está dividido como segue: 1) trata da flexão de número e dos processos fonológicos dela decorrentes, 2) apresenta a marcação de posse, suas alomorfias e seus processos morfofonológicos, e 3) traz considerações finais sobre a classe do nome em Umutína.

Flexão de número[3]

De acordo com o que já foi mencionado anteriormente a classe dos nomes apresenta alteração morfológica em lexemas referentes a entes animados para indicar a noção de plural. Os lexemas que nomeiam seres inanimados, em geral, permanecem inalterados morfologicamente. Neste último caso, a noção de plural ocorre por meio da presença de expressões quantificadoras pospostas ao nome.

Os nomes que recebem a flexão de plural, apresentam essa marca pela aposição do sufixo plural, cujas formas são {-e} e {-se}, que se opõem ao indicativo de singular, cujo morfema é {-∅}.

---

[2] Como será visto, mais adiante, seção 3, as marcas pronominais, tanto em nomes como em verbos, que foram interpretadas em Lima (1995) como prefixos flexionais, apresentam comportamento morfossintático suficiente para que seja reinterpretado como formas fonologicamente dependentes.

[3] Os fonemas segmentais da língua são: consonantais /p, b, t, k, m, n, z, s, ʒ, ʃ, l, ɾ, w, j/ e vocálicos /i, e, ɛ, ɨ, a, u, o, ɔ/. O acento foi considerado previsível em Lima (1995), realizando-se preferencialmente oxítono, excetuando-se os casos nos quais o onset (opcional) da última sílaba for [+] continuante, /z, s, ʒ, ʃ, l, w, j/ incluindo-se as nasais /m,n, e vogal da penúltima sílaba apresentar maior grau de abertura que a da sílaba seguinte. Uma revisão da análise fonológica segmental e prosódica da língua Umutína encontra-se em preparação. (Telles, em preparação).

Dentre os alomorfes de plural a forma {-e} é muito mais produtiva e apresenta maior distribuição que a forma {-se}.[4] Não foi possível identificar uma motivação (fonológica ou semântica) que explicasse a seleção entre os dois alomorfes, exceto uma restrição que regula a escolha do alomorfe {-e}, a qual se refere a aposição desse alomorfe em palavras monossilábicas. Além disso, teoricamente, qualquer um dos alomorfes poderia ser selecionado para qualquer palavra, independentemente de suas especificações fonológicas ou semânticas. Examinando-se a ocorrência alomorfe {-e}, que é mais espalhado, observam-se alguns processos fonológicos que decorrem de sua realização. Na subseção 1.1, a seguir, está apresentado inicialmente o alomorfe {-se}, de estreita ocorrência na língua, e na subseção 1.2, seguinte, está descrita a realização do alomorfe {-e}, bem como os processos fonológicos que operam em sua ocorrência.

Alomorfe {-se}:

O sufixo flexional {-se} ocorre quase exclusivamente em palavras com mais de uma sílaba. Apenas foi atestada uma ocorrência desse alomorfe em radical monossilábico, a qual está apresentada em (05). À parte esse condicionamento, não foram observadas outras restrições para a seleção do sufixo {-se}. Como o padrão silábico mais freqüente na língua é CV, em regra, a anexação desse alomorfe ocorre pela preservação da estrutura da sílaba final do radical, sem que ocorra alteração morfofonológica no nome pluralizado, como pode ser observado a seguir:

zati-se → zatise
bicho (genérico)-PL 'bichos'

Quando o radical termina com uma semivogal, como se vê em (05), o processo é o seguinte: a semivogal do radical sofre a apócope e promove o alongamento compensatório de sua vogal nuclear. Nesse caso, a consoante surda do sufixo é vozeada pelo ambiente altamente sonoro promovido pela vogal alongada precedente.

Os dados de (01) a (07), ilustram a ocorrência do alomorfe {-se}:

---

[4] São encontradas variações nos dados disponíveis, algumas das quais decorrem, possivelmente, da situação particular do "falante" Umutína. Entretanto, a regularidade ainda observada nos dados parece suficiente para considerá-los como consistentes. As formas que sugerem dúvidas foram retiradas do conjunto dos dados sob análise.

(01)	[kataˈmã]		[katamãˈse]		
	/katama/	"pássaro" (espécie)	/katamase/	"pássaros"	
(02)	[ajˈko]		[ajkoˈse]		
	/ajko/	"onça parda"	/ajkose/	"onças pardas"	
(03)	[holoˈbi]		[holobiˈʃe]		
	/olobi/	"macaco" (espécie)	/olobise/	"macacos"	
(04)	[ˈajnɔ]		[ajnɔˈse]		
	/ajnɔ/	"macaco" (espécie)	/ajnɔse/	"macacos"	
(05)	[ˈkoj]		[koːze]		
	/koj/	"anta"	/kojse/	"antas"	
(06)	[zaɾuˈto]		[zaɾutuˈse]		
	/zaɾuto/	"bagre"	/zaɾutose/	"bagres"	
(07)	[p̃ipoˈto]		[p̃ipotoˈse]		
	/pipoto/	"gavião" (espécie)	/pipotote/	"gaviões"	

Em (03) a consoante fricativa alveolar surda /s/, onset do sufixo plural, é palatalizada pela influência da vogal anterior alta que a precede

Alomorfe {-e}:

O alomorfe {-e} é o mais produtivo em Umutína. Ele ocorre em qualquer palavra nominal, sem restrições aparentes. Há dois processos fonológicos que operam com a anexação desse alomorfe. O primeiro é mais ocorrente em radicais monossilábicos e se dá pela preservação da estrutura do radical, sem perda de material fonológico; o segundo é amplamente aplicado em qualquer palavra e decorre da aposição do alomorfe e da apócope da vogal do radical.

Processo 1: adição do sufixo {-e} sem alteração morfofonológica no radical do nome. Esse processo é quase restrito aos radicais monossilábicos. O fenômeno está apresentado a seguir:

    lu-e →   lue
  (espécie de) sapo-PL   'sapos' (espécie)

A adição do morfema de plural sob as condições mencionadas acima, ou seja, sem resultar em perda da vogal do radical monossilábico, além de impedir a alteração da única vogal da palavra, evita a formação de homófonos, os quais seriam numerosos, tendo em vista o fato de a língua ter muitos nomes monossilábicos. A formação de homófonos, como pode ser observado a seguir, resultaria da perda da única vogal do radical, alterando-o completamente. Uma ocorrência desse tipo está exemplificada a seguir:

bɔ   +   -e   →   * be   (=)   be
urutau (pássaro) PL   "urutaus"   "jenipapo"
bɔ   +   -e   →   bɔe
urutau (pássaro) PL   "urutaus"

Embora a aplicação do processo descrito acima se dê preferencialmente em palavras monossilábicas, o mesmo também foi observado em radicais dissilábicos e trissilábicos, como pode ser conferido nos dados (11) e (12), abaixo.

(08) [ˈoː]   [oˈe]
      /o/   "socó"   /oe/   "socós"
(09) [ˈʒʲu]   [ʒuˈe]
      /ju/   "beija-flor"   /jue/   "beija-flores"
(10) [ˈlo]   [loˈe]
      /lo/   "curibatá" (peixe)   /loe/   "curibatás" (peixe)
(11) [ʒuˈɾi]   [ʒuːɾiˈe]
      /juɾi/   "papagaio" (espécie)   /juɾie/ "papagaios"
(12) [balaˈtu]   [balatuˈe]
      /balatu/ "urubu"   /balatue/ "urubus"

Processo 2: adição do sufixo {-e} com apagamento da vogal final do radical ao qual se apõe, como pode ser observado a seguir:
        V #   → ∅   / ___-e
   ɾozi-e   → .   ɾoze
(espécie) lagarto-PL   (espécie) lagartos

Os dados de (13) a (22), contêm exemplos da flexão de plural.

(13)	[olo'aɾi] /oloaɾi/	"surubim"	[olo'aɾe] /oloaɾe/	"surubins"
(14)	[ɛnɔ'pɔɾi] /enɔ'pɔɾi/	"criança"	[ɛnɔ'pɔɾɛ]~[ɛnɔ'pɔɾɛ] /enɔpɔɾe/	"crianças"
(15)	['ɔɾi] /ɔɾi/	"formigão"	['ɔɾɛ]~['ɔɾe] /ɔɾe/	"formigões"
(16)	[ew'nɔ] /ewnɔ/	"perereca"	[ew'ne] /ewne/	"pererecas"
(17)	[aɾika'bo] /aɾikabo/	"cachorro"	[aɾika'be] /aɾikabe/	"cachorros"
(18)	[po'po] /popo/	"pacu"	[po'p̃e] /pope/	"pacus"
(19)	[o'zɛ] /osɛ/	"dourado"	[o'ze] /ose/	"dourados"
(20)	[ʒo'wa] /jowa/	"caititu"	[ʒo'we] /jowe/	"caititus"
(21)	[wo'aɾi] /woaɾi/	"tatu peba"	[wo'aɾe]~[wo'aɾi] /woaɾe/	"tatus pebas"
(22)	[heka'pu] /ɾekapu/	"traíra"	[heka'p̃e] /ɾekape/	"traíras"

Foneticamente, o sufixo {-e} realiza-se [-ɛ], dados (14, 15), como resultado do processo de harmonia vocálica com a vogal acentuada da penúltima sílaba do radical.

Quando a consoante da última sílaba do radical é a oclusiva alveolar surda /t/, o processo é o que segue: adição do sufixo {-e} com perda da vogal final do radical e fricatização da oclusiva alveolar /t/, da última sílaba do radical, em decorrência da restrição fonológica da língua que não licencia a seqüência /t/ + /e/. As duas regras, abaixo, aplicadas na ordem apresentada, derivam as realizações de (23) a (25).

$$V \# \rightarrow \emptyset \quad / \_\_\_\text{-e}$$
$$t \rightarrow s \quad / \_\_\_\text{-e}$$

kujoto-se → kujose
coruja amarela-PL   'corujas amarelas'

Mais dados com esse fenômeno seguem apresentados de (23) a (25):

(23) [atɨpɨtɨ'tɨ]   [atɨpɨtɨ'se]
      /atɨpɨtɨtɨ/   "veado"   /atɨpɨtite/   "veados"
(24) [balatu'tu]   [balatu'se]
      /balatutu/   "peixe"   /balatute/   "peixes"
                     (espécie)
(25) [wasamanami'tɨ]   [wasamanami'se]
      /wasamanamitɨ/ "galinha"   /wasamanamite/   "galinhas"

Expressão de posse[5]

Nesta seção será apresentada a relação de posse em Umutína que é expressa por meio da presença de morfema pronominal seguido pelo item nominal que referencia o ser/coisa possuído.[6] Essas formas são homófonas as que acompanham o verbo com a função sintática de argumentos nucleares da oração. Lima (1995) interpretou os pronomes como formas presas flexionais, e, neste trabalho, essa categoria é reconsiderada, do ponto de vista morfossintático, como clíticos pré-posicionados ao nome.[7] A recategorização dos pronomes pauta-se no seu comportamento tipicamente de clíticos, o qual pode ser sumarizado como segue:
a) posição fixa na sentença e não na palavra, permitindo, assim, a presença de formas intervenientes não afixais entre eles e o nome possuído.
b) ocorrência em mais de uma classe de palavras.
c) apresentam fenômeno morfofonológico particular.

Nomes possuídos X não-possuídos

Os nomes possuídos dividem-se semanticamente em alienáveis e inalienáveis, porém, morfossintaticamente, a construção possessiva é idêntica. Os nomes essencialmente não-possuídos, quando submetidos à relação de posse, exibem construção diferenciada, na qual se faz obrigatória a realização de uma forma possessiva acentuada, que se interpõe entre o pronome e o nome, e na qual o primeiro se apóia fonologicamente.

---

[5] Embora este trabalho se proponha a apresentar a flexão nominal, optou-se por incluir, em específico, a expressão possessiva em Umutína que se estabelece com possuidor pronominal, por causa dos processos morfofonológicos que operam entre os clíticos pronominais e os nomes.
[6] Além dessa estratégia, expressões possessivas ocorrem em construções genitivas (N+N) e existenciais.
[7] Crowell (1979) considera os pronomes possessivos Boróro como prefixos, entretanto, análise mais recente já tem reinterpretado os pronomes Boróro como clíticos (Rodrigues, comunicação pessoal).

A seguir será apresentada a ocorrência dos pronomes clíticos em função possessiva. Antes, porém, seguem expostas, na tabela abaixo, as formas que operam na construção das relações possessivas pronominais com nomes possuídos e não(prototipicamente)-possuídos.

Tabela – Formas da posse pronominal

Pessoa	Pronomes possessivos	Cons. de lig.	Resultados morfofonológicos por contexto condicionador e natureza da posse			
			Nomes possuídos/ Segmento inicial do radical nominal			Nomes não-possuídos
			o-	a-	Demais segmentos	aw
1	i	n/s	i=n=	i=t=	i	i=n=aw
2	a	-	a	a	a	aw
3	u ~ ʃ ~ ∅	-	u ~ ʃ ~ ∅	u ~ ʃ ~ ∅	u ~ ʃ ~ ∅	ʃaw
4 (1 + 2)	pa	-	pa	pa	pa	paw
4 (1 + 3)	ɾe	n/s	ɾe=n=	ɾe	ɾe	ɾe=n=aw
5	ta	-	ta	ta	ta	taw
6	e	n/a	e=n=	e	e	e=n=aw

Em construções possessivas com nomes prototipicamente possuídos, o morfema pronominal apóia-se diretamente no radical do nome que apresenta relação de posse inerente ou propriedade permanente/necessária com seu possuidor. Verifica-se, entretanto, processo morfofonológico em radicais iniciados pelas vogais **a-** e **o-**, antes das quais se realizam as consoantes de ligação[8] **=t=** e **=n=**, respectivamente. Quando a vogal que inicia o radical é

---

[8] A apreciação das consoantes de ligação neste trabalho é de ordem estritamente sincrônica. Entretanto, seguindo comparação entre línguas Macro-Jê, Rodrigues (2003) lança a hipótese segundo a qual as marcas de terceira pessoa e as consoantes intervenientes em Boróro – cujas expressões se assemelham significantemente com as do Umutína – poderiam ser reflexos de antigo padrão de flexão relacional daquela língua, que é ainda encontrada em outras línguas Macro-Jê.

a-, a consoante =**t**= ocorre na expressão de posse com a primeira pessoa do singular; quando a vogal inicial é **o-**, a consoante =**n**= ocorre quando o possuidor é de primeira pessoa do singular, primeira pessoa do plural (exclusiva) ou terceira pessoa do plural. Os nomes possuídos, que apresentam marcação possessiva quase categórica (posse inerente), tais como partes do corpo, tiveram suas formas de base recuperadas a partir da posse de terceira pessoa do singular, quando o alomorfe é ∅. Os dados abaixo ilustram o fenômeno de posse inerente e permanente ou necessária:

-a	-o	DEMAIS SEGMENTOS	
i=t=akɔpɔ 1=ConLig=dente 'meu dente'	i=n=oza 1=ConLig=boca 'minha boca'	i=eɾuka 1=língua 'minha língua'	i=itɔ 1=flecha 'minha flecha'
a=akɔpɔ 2=ConLig=dente 'teu dente'	a=oza 2=boca 'tua boca'	a=wapu 2=coração 'teu coração'	a=tipa 2=casa 'tua casa'
ʃ=akɔpɔ 3=dente 'seu dente'	ʃ=oza 3=boca 'sua boca'	∅=wapu 3=coração 'seu coração'	u=ʃoɾiso 3=esposa 'sua esposa'
ɾe=akɔpɔ 1+3=dente 'nossos dentes'	ɾe=n=oza 1+3=ConLig=boca 'nossas bocas'	ɾe=boɾe 1+3=pé 'nossos pés'	ɾe=palo 1+3=machado 'nossos machados'
pa=akɔpɔ 1+2=dente 'nossos dentes'	pa=oza 1+2=ConLig=boca 'nossas bocas'	pa=ito 1+2=braço 'nossos braços'	pa=meta 1+2=saia 'nossas saias'
ta=akɔpɔ 5=dente 'teus dentes'	ta=oza 5=ConLig=boca 'tuas bocas'	ta=kopia 5=pescoço 'teus pescoços'	ta=zoɾo 5=fogueira 'tuas fogueiras'
e=akɔpɔ 6=dente 'seus dentes'	e=n=oza 6=ConLig=boca 'suas bocas'	e=ze 6=rosto 'seus rostos'	e=poɾikopo 6=panela 'suas panelas'

De acordo com o exposto na tabela precedente, os nomes semanticamente não-possuídos, para que integrem construção possessiva, requerem a presença da base possessiva, {aw}, na qual o pronome clítico é apoiado. Entre esse morfema e o pronome também observa-se a realização da consoante interveniente

=**n**=, quando o pronome precedente é de primeira pessoa do singular, primeira pessoa do plural (exclusiva) ou terceira pessoa do plural. Note-se, contudo, que embora também aqui ocorra processo morfofonológico (entre pronome + base possessiva), o ambiente fonológico em que a consoante =**n**= ocorre (vogal central baixa não-arredondada) não coincide com aquele em que a mesma consoante ocorre entre pronome e nome possuído (vogal média posterior arredondada seguinte). O primeiro contexto é idêntico ao que a consoante =**t**= é realizada quando a relação é expressa entre pronome e nome possuído. A fonte histórica das consoantes de ligação e/ou de sua motivação fonológica/sintática são sincronicamente opacas.

A seguir encontram-se exemplos da construção com base possessiva:

CONSTRUÇÃO POSSESSIVA COM aw	
i=n=**aw** aɾikabo 1=ConLig=Pos cachorro 'meu cachorro'	i=n=**aw** haɾɛ 1=ConLig=Pos peixe 'meu peixe'
a=**aw** mataja 2=Pos tuiuiú 'teu tuiuiú'	pa=**aw** kipolo 1+2=Pos papagaio 'nosso papagaio'
∅=**aw** hube 3=Pos mutum 'seu mutum'	ta=**aw** hotujo 5=Pos mandioca 'tuas mandiocas'
ɾe=n=**aw** ʒiɾikopo 1+3=ConLig=Pos lenha 'nossas lenhas'	e=n=**aw** puɾuka 6=ConLig=Pos água 'suas águas'

Considerações finais

Os dois processos apresentados, que tratam respectivamente da flexão de número e da construção possessiva em Umutína, não são usualmente coocorrentes nos itens lexicais. Isso se deve ao fato de o plural ser restrito a nomes que referenciam seres animados, enquanto a posse ocorre basicamente em nomes passíveis de apresentarem relação parte/todo, de propriedade, ou de parentesco. Na primeira relação, embora a "parte" referenciada em particular possa eventualmente integrar um "todo" animado (rabo/animal), a animacidade não representa traço relevante na semântica do nome que referencia a "parte". A relevância, nesse caso, diz respeito à relação de inerência entre as partes. Quando os itens possuídos apresentam relação de propriedade (seja permanente ou necessária), eles, em regra, têm referentes não-animados, tais como objetos ou pertences pessoais. Ressalve-se, nesse caso, a posse marcada culturalmente de animais criados em casa, que incorporam os parentes mortos. Finalmente, restam os termos de parentesco, com os quais se pode encontrar a possibilidade menos restrita da marca de plural (flexional) coocorrer com o clítico possessivo pré-posicionado.

Além da flexão de número os nomes não sofrem processo morfológico adicional, evidenciando-se, portanto, a estrutura extremamente simples da classe dos nomes na língua Umutína. Outras relações sintáticas e/ou semânticas que afetam o nome são estabelecidas por adjuntos, marcação de co-referência no verbo, ou relação predicativa.

Referências

CROWELL, Thomas Harris. The phonology of Boróro verb, postposition and nouns paradigms. *Arquivos de Anatomia e Antropologia*, n. 2, p. 157-178, Rio de Janeiro, 1977.

_____. *A grammar of Boróro*. Tese de Doutorado, Ithaca: Cornell University, 1979.

LIMA, Stella Telles. *A língua Umutína*: 'um sopro de vida'. Dissertação de Mestrado. Recife, UFPE, 1995.

RODRIGUES, A. Dall'Inga. *Línguas brasileiras:* para o conhecimento das línguas indígenas. São Paulo: Edições Loyola, 1986.

_____. Uma hipótese sobre flexão de pessoa em Boróro. *Anais da 45ª reunião anual da Sociedade Brasileira para o Progresso da Ciência,* p. 505, Recife, 1993.

_____. Flexão relacional no tronco lingüístico Macro-Jê. *Boletim da Associação Brasileira de Lingüística*, n. 25, 2003.

SCHULTZ, Harald. Informações etnográficas sobre os Umutína. *Revista do Museu Paulista,* Nova Série, XIII, São Paulo, p. 75-311, 1962.

TELLES, Stella. *Fonologia da língua Umutína* (em preparação).
_____. *Dicionário preliminar Umutína* (em preparação).

A EXPRESSÃO DA NEGAÇÃO EM PANARÁ

Luciana Dourado (Laboratório de Línguas Indígenas, IL-UnB)

A expressão da negação em Panará é analítica e apresenta diversidade de formas. Pode ocorrer por meio de partículas de negação, sempre posicionadas imediatamente após o núcleo do constituinte escopo da negação. Pode ocorrer sob a forma de um verbo negativo finito intransitivo, núcleo da oração que segue uma oração afirmativa. Além da negação de constituinte, o Panará dispõe de uma palavra específica para a chamada negação categórica. Apresentaremos a seguir, as várias maneiras em que a negação em Panará pode se expressar.

a) a negação categórica ocorre por meio da partícula de negação ĩkiɔw 'não', para expressar resposta negativa a uma pergunta:

(1) ĩkiɔw   ø   =re   '=ø
    não   REAL.TR   =1SG.ERG   =3SG.ABS
    =pɨ-ri   piɔ atõsɨ
    =pegar-PERF   NEG munição.ABS
    'não, eu não com prei munição.'

Essa partícula também pode ocorrer como negação de predicados nominais existenciais, precedendo toda a oração sobre a qual tem escopo:

(2) ĩkiɔw   pakua   kiokio
    não   banana   madura
    'não tem banana madura.'

(3) ĩkiɔw   sõ   pãpã   mã
    não   comida   todos   DAT
    'não tem comida para todos'.

a) as partículas de negação **piɔ,** forma cognata do verbo negativo **piɔ ~ piɔw,** e **nõ ~ rõ** são usadas tanto para negar orações quanto sintagmas.

(4) luzia   yɨ   =ø   =tɔw piɔ   muu   tã
    Luzia.ABS REAL.INTR =3SG.ABS =irNEG   Brasília   ALA
    'Luzia não viajou para Brasília.'

(5) səperi   piɔ   iən
    vento   NEG   ontem
    'não ventou ontem.'

(6) nãkã   sõyɔwpɨ   nõ
    cobra   bicho de comer   NEG
    'cobra não é comida.'

(7) mõsi   yɨ   =ø   =kiõti   rõ
    milho.ABS REAL.INTR =3SG.ABS =brotar NEG
    'o milho não brotou.'

A negação em Panará também opera como um elemento que deriva elementos lexicais, novas expressões para a língua, a partir de nomes e de verbos. Para se negar nomes, a partícula de negação é **nõ ~ rõ**; para verbos é **piɔ**, o que parece sugerir que a primeira teria sido originariamente uma partícula de negação exclusiva para sintagmas, e a segunda uma partícula de negação para orações ou constituintes maiores.

(8) ĩ   -pẽ   rõ
    NMZ   -falar   NEG
    'mudo.'

(9) pĩpiə   rõ
    marido   NEG
    'solteira.'

(10) wayãni   piɔ   sõ
     fazer   NEG   comida
     'comida pronta.'

(11) asɨri   piɔ   pẽkə
     costurar NEG   roupa
     'roupa pronta.'

b) a partícula de negação **sã** é utilizada na negação de orações com predicados transitivos e intransitivos no modo imperativo. Também ocorre imediatamente após o verbo.

(12) ha   sõti   sã
     IMP   dormir   NEG
     '**não durma!**'

(13) ka   =ku   =krẽ   sã
     IRR   =pegar   =comer   NEG
     '**não coma!**'

(14) ka   =nɔwwã   sã   sɔti
     IRR   =matar   NEG   cão
     '**não mate o cão!**'

c) o verbo finito intransitivo negativo **piɔ ~ piɔw** ocorre em última posição da sentença para negar a oração, também finita, que o precede.

(15) ĩpɨ hẽ   ø   =ti   =sũũ-r(i)   =a-kuɨ
                                           =dizer-   =MS-
     homem ERG   REAL.TR   =3SG.ERG   PERF   ir
     yɨ   =piɔw
     REAL.INTR   =não
     'o homem disse que não ia.'

(16) mara hẽ   ø   =ti   =pɨ   =sɔ
     ele ERG   REAL.TR   =3SG.ERG   =DIR   =coisa
     =krɛ   yɨ   =piɔ
     =plantar   REAL.INTR   =não
     'ele não plantou de novo.'

Este verbo também pode ocorrer em orações independentes com o sentido de 'acabar ou terminar'.

(17) sõse   yɨ   =ø   =piɔw
     linha.ABS   REAL.INTR   =3SG.ABS   =acabar
     'a linha acabou.'

d) a negação de orações pode envolver dois operadores diferentes: um clítico que precede imediatamente a raiz do núcleo do predicado verbal ou nominal; e uma partícula de negação que segue imediatamente esse elemento. Pode-se sugerir que essa forma de negação expressa uma negação forte, em comparação com a negação com apenas um operador, à qual seria atribuída uma negação fraca.

(i) com **tõ** antes do verbo e **piɔ** ou, menos freqüentemente, **nõ/rõ**, após o verbo.

(18)	ra	=tõ	=po	piɔ	moto	amã
	3PL.ABS	=NEG	=chegar	NEG	barco	INES

'não chegou ninguém (plural) de barco.'

(19)	ra	=tõ	=rãprə	piɔ	pakua
	3PL.ABS	=NEG	=madura	NEG	banana.ABS

'nenhuma banana (plural) está madura.'

(20)	akə hẽ	ø	=ti	=ø	=tõ
	Akâ ERG	REAL.TR	=3SG.ERG	=3SG.ABS	=NEG
	=suə-ri	rõ	tɛpi	
	=fazer-PERF	NEG	peixe.ABS	

'Akâ não pescou nada.'

(ii) o verbo negativo **piɔ ~ piɔw** também pode ocorrer como segundo elemento de uma negação forte.

(21)	yɨ	=hɔ	=ra	=tõ	=po
	REAL.INTR	=ICOM	=1SG.ABS	=NEG	=chegar
	yɨ	=ø	=piɔw	ia	tã
	REAL.INTR	=3SG.ABS	=não	aqui	ALA
	i/kow	hɔ	muu	tã
	macaco	INSTR	Brasília	ALA

'nunca trouxe macaco para Brasília.'

e) na negação em orações complexas, a partícula negativa pode ocorrer na oração principal, na oração dependente ou em ambas as orações, isto é, no contexto sobre o qual tem escopo.

(22)	kã	=(ĩ)pari	piɔ	ka	hẽ	sõ	=suəri
	2SG.ERG	=saber	NEG	você	ERG	comida	=fazer

'você não sabe fazer comida.'

(23) iãsɨ   yɨ   =ø   =pĩtɔ-ri   ø
      veado.ABS   REAL.INTR   =3SG.ABS   =fugir-PERF   REAL.TR
      =re   =ø   =piə   -ri   piɔ
      =1SG.ERG   =3SG.ABS   =encontrar   -PERF   NEG
      'o veado fugiu, pois não o encontrei.'

(24) piãrahe   ka   =mã   =sũũ   nõ kuɨ   rõ   ahe
      por que   2SG.ERG   =3.DAT   =dizer   NEG ir   NEG   FIN
      'por que você não disse a ele para não ir?'

f) quando a posposição inessiva **amã** segue a partícula negativa **nõ/rõ**, o escopo da negação se restringe ao verbo da oração.

(25) mara hẽ   ø   =ti   =ø   =pɨ-ri
      ela ERG   REAL.TR   =3SG.ERG   =3SG.ABS   =pegar-PERF
      ĩko   sasuə-ri   nõ   amã
      água   derramar-PERF NEG   INES
      'ela carregou água sem derramar.'

(26) mara   ka   =ti   =sɔpe   hɔwkyɨa   amã
      ele.ABS   IRR   =3SG.NOM   =trabalhar   escola   INES
      ø   =ti   =hɔwkyɨa   rõ   amã
      REAL.TR   =3SG.ERG   =estudar   NEG   INES
      'ele quer ser professor sem estudar.(lit: ele vai trabalhar na escola sem estudar.)'

g) os pronomes indefinidos em Panará podem ser negados, sem que se precise negar a oração na qual eles são argumentos. A partícula de negação, neste caso, apresenta flexão de número, em concordância com o pronome.

(27) prẽ   hẽ   piɔ   ø   =ti
      alguém   ERG   NEG   REAL.TR   =3SG.ERG
      =(ĩ)ko   =kuyã
      =água   =carregar
      'ninguém carregou água.'

(28) prẽ-merã   piɔ-ri   ø   =ti   =ø
      alguém.ERG-PL   NEG-PL   REAL   =3SG.ERG   =3SG.ABS
      =sa   =popo   i/kow
      =furar =flechar macaco.ABS
      'ninguém flechou (plural) o macaco.'

Considerações finais

A expressão da negação em Panará se dá por meio de algumas partículas que ocorrem sempre à direita do constituinte sobre o qual tem escopo. Além dessas partículas, existe também a possibilidade de que um verbo negativo opere como núcleo de uma oração finita, que funciona como negação de uma oração afirmativa, também finita, que a precede.

Referência

DOURADO, Luciana. *Aspectos morfossintáticos da língua Panará (Jê)*. Tese de Doutorado. Unicamp. Campinas, SP, 2001.

Concordância de número em Kaingáng: um sistema parcialmente ergativo e parcialmente nominativo

Ludoviko dos Santos (Universidade Estadual de Londrina)

Descrição da concordância

A ordem oracional da língua Kaingáng é sujeito-objeto-verbo. Em orações transitivas, a concordância de número ocorre entre o objeto e o verbo sob determinadas condições. Em orações intransitivas a concordância manifesta-se entre o sujeito e o verbo.

Formas verbais do plural

O plural verbal em Kaingáng pode se dar de várias maneiras diferentes já descritas e analisadas por Cavalcante (1987). Por não ser objetivo do presente trabalho a análise morfológica das formas verbais no plural, mas sim a sintaxe da concordância de número na língua, limita-se a exposição das várias possibilidades de formação do plural a uma brevíssima apresentação da parte inicial do estudo de Cavalcante.

I) Plural formado por supleção

Algumas formas verbais no plural podem se dar por total alteração do material fonológico ou alteração parcial. No caso de alteração parcial, Cavalcante (1987, p. 66) ainda as considera como formas supletivas porque a alteração observada é única. Confira-se os exemplos:[1]

singular	plural	
kam	krɛ	"cortar em partes longas";
kãŋmi	kuŋmĩ	"pegar, segurar"

---

[1] Os exemplos seguem a transcrição fonológica de Cavalcante (1987). No restante do trabalho adota-se o sistema ortográfico da língua Kaingáng elaborado por Ursula Wiesemann.

II) Plural formado por reduplicação

Singular	Plural	
kõm	kõmkõm	"cavar";
kɨŋnẽ	kɨŋnẽŋnẽ	"errar"

III) Plural formado por prefixação

Há sete prefixos que ocorrem para a formação do plural: kɨ-, kã-, kɔ-, ku-, pã-, tu-, yɔ-. Eis os exemplos.

Singular	Plural	
ɸa	kɨŋɸa	"lavar roupa";
ŋa	kɔŋa	"ter caruncho, com carunchos;
tu	pãŋtu	"carregar (coisa comprida);
rũm	yɔŋrũm	"mexer (singular), sacudir (plural)"

IV) Plural formado por infixação

"A infixação pode ocorrer como processo morfológico único na formação do plural verbal ou em combinação com outros processos primários de pluralização. Com a reduplicação ela é obrigatória" (CAVALCANTE, 1987, p. 69). Opcionalmente, a infixação pode ocorrer também com a prefixação e a supleção.

Singular	Plural	
pɛti	pɛŋti	"sonhar";
yũ	yũŋyũ	"bravo, valente, zangado" — redupl.+infixação;
ɸɔ̃	kɨŋɸɔ̃	"chorar" — prefixação+infixação;
tãprɨ	yãŋprɨ	"subir" — supleção+infixação.

V) Plural sem alteração de forma

Singular	Plural	
ke	ke	"ficar, dizer";
tɨnɨr	tɨnɨr	"moer";

Como visto, as formas plurais dos verbos em Kaingáng têm grande complexidade morfofonológica que não se esgota nesta rápida exemplificação dos principais mecanismos para a formação do plural. Para uma visão mais aprofundada de tais processos, deve-se consultar o trabalho aqui citado.

Concordância em oração transitiva

Veja-se os seguintes dados:
1. ẽkrénh tĩ vỹ mĩg tãnh
   caçador ? ms[2] onça matar (sing)
   "O caçador matou a onça."
2. ẽkrénh tĩ ag vỹ mĩg tãnh
   caçador pl. ms onça matar (sing)
   "Os caçadores mataram a onça."
3. ẽkrénh tĩ vỹ mĩg ag kyggrẽ
   caçador ms onça pl. matar (pl)
   "O caçador matou as onças."

No dado 1 tem-se a oração em sua forma singular. Comparando-o com os seguintes pode-se constatar que em 2 o sujeito está no plural, marcado por "ag", e o verbo permanece em sua forma singular, ou seja, não se manifesta concordância entre sujeito e verbo. Em 3, o objeto no plural, marcado igualmente por "ag", provoca a ocorrência do verbo no plural, manifestando, desse modo, concordância entre objeto e verbo. No entanto, esta concordância somente ocorre se o núcleo do SN na função de objeto for ocupado por um nome com o traço semântico [+animado]. Caso contrário, a concordância entre o objeto e o verbo não se manifesta. Confira-se os dados a seguir.

4. ẽkrénh tĩ vỹ no téj vã
   caçador ms espingarda pegar (objeto comprido, sing)
   "O caçador pegou a espingarda."
5. ẽkrénh tĩ ag vỹ no téj vã
   caçador pl ms espingarda pegar (obj. comprido, sing)
   "Os caçadores pegaram a espingarda."
6. ẽkrénh tĩ vỹ no téj gé
   caçador ms espingarda pegar (obj. comprido, pl)
   "O caçador pegou as espingardas."

A comparação dos dados 2 e 5 demonstra que a concordância entre sujeito e verbo não ocorre e a comparação de 3 e 6 atesta a não concordância entre objeto e verbo porque — *no téj* — "espingarda" é um nome com o traço [-animado]. Ou seja, em 6, o verbo manifesta sua forma plural sem, no entanto, haver concordância com o objeto que não recebe a marca de plural.

---

[2] "ms" é a abreviatura para marcador de sintagma nominal na função de sujeito. As demais abreviaturas utilizadas são: "pl" para plural e "sing" para singular.

Quando ambos, sujeito e objeto, estão no plural, a manifestação da concordância permanece a mesma já exemplificada pelos dados de 1 a 6.

7. ẽkrénh tĩ ag vỹ mĩg ag kyggrẽ
   caçador   pl. ms onça pl. matar (pl)
   "Os caçadores mataram as onças."
8. ẽkrénh tĩ ag vỹ no téj gé
   caçador   pl. ms espingarda   pegar (obj. comprido, pl)
   "Os caçadores pegaram as espingardas."

Apesar de em 7 o verbo estar no plural, não se deve considerar que haja uma relação de concordância com o SN sujeito. A comparação deste dado com os dados 2 e 3 atesta que o verbo no plural está concordando com o objeto, uma vez que, em 2, o SN sujeito pluralizado não altera a forma singular do verbo e, em 3, o SN objeto marcado para o plural provoca o plural do verbo. O dado 8 segue o mesmo padrão de 6 porque o verbo no plural indica que o SN objeto está no plural sem, no entanto, haver concordância, uma vez que não há marcação de plural neste SN.

Desse modo, os dados apontam para uma estrutura na qual orações transitivas, cujo SN objeto esteja marcado pelo traço [+animado], têm concordância entre este SN e o verbo, caso contrário não. O SN sujeito, marcado pelo traço [+animado], não provoca a concordância com o verbo.

A sintaxe de concordância se altera quando o SN sujeito é ocupado por um nome [-animado]. Observe-se os dados abaixo.

9. pó vỹ gĩr kãnĩ
   pedra ms menino atingir (sing)
   "A pedra atingiu o menino."
10. pó ag vỹ gĩr kãnĩgnĩ
    pedra pl ms menino atingir (pl)
    "As pedras atingiram o menino."
11. pó vỹ gĩr ag kãnĩgnĩ
    pedra ms menino pl atingir (pl)
    "A pedra atingiu os meninos."

Ou seja, quando o núcleo do sujeito é ocupado por um nome [-animado], há concordância entre o SN sujeito e o verbo como pôde ser constatado pela comparação dos dados 9 e 10 em que o sujeito marcado para o plural provoca a manifestação da forma plural do verbo. Note-se que nos dados 1 e 2, 4 e 5 tal concordância não ocorre porque o SN sujeito está ocupado por nome [+animado], exatamente o oposto do que ocorre nos dados 1 e 3, 4 e 6 que demonstram a concordância objeto-verbo condicionada pelo traço [+animado]. Os dados seguintes exemplificam a concordância do SN objeto com o verbo quando o SN sujeito está ocupado por nome [-animado].

    12. pó   vỹ   nĩgja   kãnĩ
        pedra ms banco atingir (sing)
        "A pedra atingiu o banco."
    13. pó   ag   vỹ   nĩgja   kãnĩgnĩ
        pedra pl ms   banco atingir (pl)
        As pedras atingiram o banco.
    14. pó   vỹ   nĩgja   ag   kãnĩgnĩ
        pedra ms banco pl atingir (pl)
        "A pedra atingiu os bancos."

A comparação dos dados 11 e 14 demonstra que o SN objeto, seja ele [+animado] ou [-animado], concorda com o verbo quando o SN sujeito for ocupado por nome [-animado].

O mesmo ocorre quando ambos os SNs estão no plural:

    15. pó   ag   vỹ   gĩr   ag   kãnĩgnĩ
        pedra pl ms menino pl atingir (pl)
        "As pedras atingiram os meninos."
    16. pó   ag   vỹ   nĩgja   ag   kãnĩgnĩ
        pedra pl ms banco pl atingir (pl)
        "As pedras atingiram os bancos."

Deve-se notar que a concordância em 15 e 16 difere daquela dos dados 7 e 8 porque, nestes, o que provoca a forma verbal no plural é o SN objeto, enquanto nos dados 15 e 16 a forma plural concorda tanto com o SN sujeito, no dado 15, quanto com o SN objeto, no dado 16.

Concordância em oração intransitiva

Observe-se os seguintes dados:

    17. pó   vỹ   kutẽ
        pedra ms cair do alto (sing)
        "A pedra caiu."

18. pó   ag   vỹ   vár
    pedra pl   ms   cair do alto (pl)
    "As pedras caíram."
19. g̃ir   vỹ   kutẽ
    menino ms   cair do alto (sing)
    "O menino caiu."
20. g̃ir   ag   vỹ   vár
    menino pl   ms   cair do alto (pl)
    "Os meninos caíram."

Como pode ser visto pelos dados 17 a 20, o SN sujeito concorda com o verbo, independentemente de o núcleo estar ocupado por nome [+animado] ou [-animado].

Resumidamente, a concordância entre sujeito-objeto-verbo se dá da seguinte maneira: em orações transitivas com SN sujeito [+animado], este não concorda com o verbo e o objeto [+animado] manifesta concordância com o verbo. Em orações transitivas com SN sujeito [-animado], há concordância entre este SN e o verbo, além disso, em tais orações, o objeto [+animado] ou [-animado] também concorda com o verbo.

É interessante notar que há dois tipos de orações transitivas, sob o ponto de vista da concordância de número entre sujeito-verbo, conforme o SN sujeito esteja ou não ocupado por nome [+animado]. Ainda, dependendo do traço de animacidade do SN sujeito, a concordância do objeto com o verbo comporta-se de maneiras diferentes. Os quadros abaixo ilustram a possibilidade.

ORAÇÃO TRANSITIVA 1 (OT1)			ORAÇÃO TRANSITIVA 2 (OT2)		
	Animacidade	Concordância		Animacidade	Concordância
Sujeito	+	-	Sujeito	-	+
Objeto	+	+	Objeto	+	+
Objeto	-	-	Objeto	-	+

ORAÇÃO INTRANSITIVA 1 (OIT1)			ORAÇÃO INTRANSITIVA 2 (OIT2)		
	Animacidade	Concordância		Animacidade	Concordância
Sujeito	+	+	Sujeito	-	+

Possibilidade de um sistema de ergatividade cindida

A comparação de OT1 e OT2 com as orações intransitivas, que também têm a variação do traço [animacidade], levanta algumas relações interessantes.

Comparando-se o sujeito da OT1 com o sujeito da OIT1 percebe-se que a concordância deste e daquele com o verbo é diferente, o que poderia permitir a afirmação de que o sujeito de OT1 seja ergativo com marcação diferente de concordância. O sujeito da OT2 concorda com o verbo da mesma forma que há concordância entre sujeito e verbo da OIT2, o que parece espelhar uma relação de nominatividade marcada pelo mesmo tipo de concordância.

Ou seja, considerando-se a relação entre sujeito de intransitiva e objeto de transitiva, pode-se perceber que o sujeito da OIT1 tem o mesmo tipo de concordância que o objeto [+animado] da OT1 e o sujeito da OIT2 tem o mesmo tipo de concordância que o objeto [-animado] da OT2. Da mesma forma, o sujeito da OIT1 tem o mesmo tipo de concordância que o objeto [+animado] da OT2, ou seja, os sujeitos das OIT1 e OIT2 revelam o mesmo tipo de concordância que os objetos [+animado] e [-animado] da OT2.

Desse modo, a concordância de número em orações simples do Kaingáng espelha uma estrutura condicionada pelo traço de animacidade que reflete, por sua vez, um sistema de ergatividade cindida condicionada pela concordância, conforme pode ser visto, resumidamente, nos quadros a seguir.

SUJEITO INTRANSITIVO	ANIMADO	COM CONCORDÂNCIA	NOMINATIVO
SUJEITO TRANSITIVO	- ANIMADO	COM CONCORDÂNCIA	
OBJETO	- ANIMADO	SEM CONCORDÂNCIA	ACUSATIVO

SUJEITO TRANSITIVO	+ANIMADO	SEM CONCORDÂNCIA	ERGATIVO
SUJEITO INTRANSITIVO	+ANIMADO	COM CONCORDÂNCIA	ABSOLUTIVO
OBJETO	+ANIMADO	COM CONCORDÂNCIA	

Atualmente, investiga-se a concordância também em orações complexas e naquelas cujo SN sujeito seja preenchido por pronome, o que causa grande diferença na ordem dos termos da oração. Investiga-se, ainda, a possibilidade de as classes de animais, que se dividem em quatro (kadnjeru, votoro, kamé e wéjnyký), conforme a mitologia Kaingáng, bem como as classes de objetos, que se dividem em dois (ror "objetos redondos" e téi "objetos compridos), estarem relacionadas à concordância de número[3] do Kaingáng.

Por fim, este trabalho faz parte de um projeto de pesquisa, por mim coordenado, que tem por objetivo construir uma gramática pedagógica para a língua Kaingáng.

Referências

CAVALCANTE, M. P. *Fonologia e morfologia da língua Kaingáng*: o dialeto de São Paulo comparado ao do Paraná. Tese de Doutorado, Universidade Estadual de Campinas, 1987.

D'ANGELIS, W. R. Gênero em Kaingáng? In: SANTOS, Ludoviko dos; PONTES, Ismael. (Org.). *Línguas Jê*: estudos vários. Londrina: Editora da UEL, 2002.

DIXON, R. M. W. 1994. *Ergativity.* Cambridge: Cambridge University Press, 1994.

RODRIGUES, A. D. Classificação Social dos Animais em Kaingáng. In: SANTOS, Ludoviko dos; PONTES, Ismael. (Org.). *Línguas Jê*: estudos vários. Londrina: Editora da UEL, 2002.

WIESEMANN, U. *Dicionário Português-Kaingáng, Kaingáng-Português*. Rio de Janeiro: Summer Institute of Linguistics, 1971.

_____. *Kaingáng-Português Dicionário Bilíngüe*. Curitiba: Ed. Evangélica Esperança, 2002.

---

[3] A leitura do artigo "Classificação Social dos Animais em Kaingáng" de Aryon D. Rodrigues e do artigo "Gênero em Kaingáng?" de Wilmar da R. D'Angelis proporcionaram caminhos a seguir que estou investigando. Ambos foram apresentados no 1º Encontro Sobre Línguas Jê realizado em fevereiro de 2001 na Universidade Estadual de Londrina.

Observações preliminares sobre o sistema pronominal da língua Rikbáktsa

Léia de Jesus Silva (Laboratório de Línguas Indígenas, IL-UnB)
Sanderson de Oliveira (Laboratório de Línguas Indígenas, IL-UnB)

Introdução[1]

A língua Rikbáktsa, única língua da família do mesmo nome, classificada por Boswood (1971) e Rodrigues (1986) como pertencente ao tronco Macro-Jê, é falada pelo povo Rikbáktsa, também conhecido como "Canoeiros",[2] que habita na região norte do Estado de Mato Grosso.

Esta análise foi motivada não só pelas pesquisas realizadas pelos autores com os índios Rikbáktsa, mas também pela descrição da língua apresentada nos trabalhos de Joan Boswood, que estão listados na bibliografia e nos guiaram na compreensão de vários fenômenos da língua.

Neste estudo, apresentaremos algumas considerações sobre o sistema pronominal da língua Rikbáktsa e mostraremos que o seu sistema pronominal possui características *sui generis*, que a torna singular no contexto das línguas do tronco Macro-Jê e também no contexto das línguas indígenas brasileiras. Algumas dessas características aqui discutidas são: (1) a codificação de pessoa, um mesmo morfema codifica tanto a segunda quanto a primeira pessoa do plural, independentemente do tempo e da transitividade e; (2) a distribuição de marcas de tempo/transitividade e de sujeito de acordo com a transitividade dos verbos - intransitivos e transitivos - e, no caso dos verbos transitivos, com a pessoa e número do objeto.

Há em Rikbáktsa três séries de prefixos pessoais, que chamaremos aqui de série I, série II e série III. As séries I e III distinguem, com prefixos diferentes, seis pessoas: a primeira, a segunda e a terceira do singular e a primeira,

---

[1] Agradecemos a Aryon Dall'Igna Rodrigues e Ana Suelly Arruda Câmara Cabral pela leitura do texto e pelas observações que fizeram.

[2] Não confundir com "Avá Canoeiro", índios que vivem no estado de Goiás.

a segunda e a terceira do plural; a série dois apresenta três subséries; as subséries IIa e IIb distinguem três pessoas, pois a segunda do singular, a primeira e a segunda do plural são fonologicamente idênticas, assim como são também idênticas a terceira do singular e a terceira do plural. A subsérie IIc distingue apenas duas pessoas, apresentando as mesmas formas para a primeira e a terceira pessoa do singular, e para a terceira do plural; são também homófonas as formas para a segunda pessoa do singular e para a primeira e segunda pessoa do plural.

Os prefixos da série I se combinam com nomes e posposições marcando respectivamente o possuidor dos nomes e o objeto das posposições, os da série II marcam o sujeito dos verbos transitivos e intransitivos e os da série III marcam o objeto de verbos transitivos.

Prefixos que se combinam com nomes e posposições[3]

Os prefixos da série I ocorrem com nomes e posposições. Os nomes podem ser divididos em duas subclasses, a dos nomes substantivos e a dos nomes atributos. Embora os mesmos prefixos pessoais ocorram com membros dessas duas subclasses, apresentam variação alomórfica livre apenas com nomes atributos ou descritivos.

Série I: Prefixos pessoais nos nomes e nas posposições

GLOSSA	NOMES SUBSTANTIVOS E POSPOSIÇÕES	NOMES ATRIBUTOS
1sg	ka- ~ k	ka- ~ k
2sg	a-	a- ~ tʃa
3sg	i-	i- ~ ti ~ tʃi
1pl	mɨ- ~ m	mɨ- ~ m
2pl	aha-	aha- ~ tʃa
3pl	ʃi- ~ ʃ	ʃi- ~ ʃ

---

[3] As abreviaturas utilizadas neste trabalho são as seguintes: FEM 'feminino'; PAS 'passado'; N-PAS 'não-passado'; INTR 'intransitivo'; M 'masculino'; OBJ 'objeto'; PL 'plural'; CONT 'continuativo'; SG 'singular'; VER 'verificativo'; F 'feminino'; AUX 'auxiliar'; DEF 'definido'; N-DEF 'não-definido'.

(a) exemplos de prefixos da série I com nomes substantivos:

(01) ka-ɾo-'ie
      1SG-pai-mãe
      'minha avó paterna'

(02) a-wa'nũ
      2SG-rede
      'rede de você'

(03) i-ʃa'ki
      3SG.NCOR-boca
      'boca dele'

(04) mi-'ie
      1PL-mãe
      'nossa mãe'

(05) aha-'paɾaka
      2PL-arco
      'arco de vocês'

(06) ʃi-ok'pe
      3PL.NCOR-testa
      'testa deles/delas'

(b) exemplos de prefixos da série I com posposições:

(07) ka-tuk
      1sg-com
      'comigo'

(08) a-bo
      2sg-para
      'para você'

(09) i-tuk
      3sg.ncr-com
      'com ele'

(10) mi-'baɾi
      1PL-perto
      'perto de nós'

(11) aha-pok'ʃo
      2PL-por causa
      'por nossa causa'

(12) ʃi-tuk
      3PL-com
      'com eles'

(c) exemplos de prefixos da série I com nomes atributos ou descritivos:

(13) iki'a   a-'ko-ĩ-ta
      você   2SG-alegria-VER.M.SG.DEF
      'você (M) está alegre'

(13b) iki'a   tʃa-'ko-ĩ-ta
      você   2SG-alegria-VER.M.SG.DEF
      'você (M) está alegre'

(14) tʃi-'waik-ĩ-na
      3SG-frio-VER-M.SG.NDEF
      'está frio (o tempo)'

(14b) ti-'waik-ĩ-na
      3SG-frio-VER-M.SG.NDEF
      'está frio (o tempo)'

(15) ka'tʃa **m**-a'ko-ĩ-tʃa   tʃi-mi-'ka-naha
     nós   1PL-alegre-VER-M.PL   1C-AUX.NPAS-CONT-PL
     'nós (M) estamos alegres'

(16) ikiaha-'ka   **tʃa**-ʃa'pa-ĩ-ɾa
     você-F.PL   2PL-bom/bonito-VER-F.PL
     'vocês são bonitas'

(17) ʃi-ɾe're-ĩ-tʃa
     3PL-comprido-VER-M.PL
     'eles são compridos'

Prefixos pessoais nos verbos

A série II é constituída de três subséries que codificam a pessoa do sujeito. Essas subséries são distribuídas de acordo com (1) o tempo verbal, (2) a valência do verbo e (3) a pessoa e o número – singular e plural - do objeto. Os prefixos pessoais que marcam sujeito são apresentados no quadro abaixo:

Série II: Prefixos pessoais marcadores de sujeito no verbo[4]

GLOSSA	PASSADO			NÃO-PASSADO	
	SUBSÉRIE A	SUBSÉRIE B		SUBSÉRIE C	
	transitivo obj. sg / 2ª pl	transitivo obj 1ª / 3ª pl	intransitivo	transitivo	intransitivo
1sg	i-	ik-		∅-	
2sg	tʃi- ~ tʃ-	tʃik-		tʃi- ~ tʃ-	
3sg	iɾi- ~ iɾ- ~ ɾi- ~ ɾ-	ni- ~ n-		∅-	
1pl	tʃi- ~ tʃ-	tʃik-		tʃi- ~ tʃ-	
2pl	tʃi- tʃ-	tʃik-		tʃi- ~ tʃ-	
3pl	iɾi- ~ iɾ- ~ ɾi- ~ ɾ-	ni- ~ n-		∅-	

Os prefixos da série III codificam o objeto e se assemelham aos prefixos que marcam o possuidor nos nomes.

---

[4] Os alomorfes iɾi- ~ ɾi- '3ª singular' parecem estar em variação livre, já que é comum o apagamento da vogal /i/ em início de palavra quando a vogal da sílaba seguinte é também /i/.

Série III: Prefixos pessoais marcadores de objeto[5]

GLOSSA	PREFIXO
1sg	ik-
2sg	a-
3sg	∅-
1pl	mɨ-
2pl	aha-
3pl	ʃi-

Prefixos pessoais nos verbos intransitivos e transitivos (flexionados para o tempo não-passado)

O Rikbáktsa distingue dois tempos verbais, passado e não-passado. No tempo não-passado, os verbos intransitivos e transitivos têm o sujeito marcado por meio de prefixos da subsérie IIC e recebem marcas de tempo/transitividade distintas.[6] No caso dos transitivos, quando o objeto é singular ou de segunda pessoa do plural, o verbo recebe o prefixo **pi- ~ p-** para indicar tempo/transitividade, ao passo que quando o objeto é de primeira ou de terceira pessoa do plural é o prefixo **mɨ-** que marca tempo/transitividade. Esta última é a forma que também ocorre com verbos intransitivos.

Exemplos de orações no tempo não-passado:

(a) transitivas
(18)   ka-'tʃuhuk 'bo   moko-'tʃa   **∅-mɨ-ʃi-'paik**
       1SG-roça   em   mandioca-PL 1C-NPAS.TR/INTR-3OBJ.PL-plantar
       'eu vou plantar mandiocas na minha roça'

(19)   iki'a   iki'ṛa   **tʃi-p-ik**-boboho-'ko
       você   eu (F)   2C-NPAS.TR-1OBJ.SG-beliscar-CONT
       'você está me beliscando'

---

[5] Os objetos de 1ª e 3ª pessoas do singular são indicados pelos prefixos **ik-** e **∅-**, os quais também indicam os sujeitos de 1ª pessoa singular da subsérie II e de 3ª pessoa da subsérie III, respectivamente.

[6] Esta associação entre tempo/transitividade e pessoa e número do objeto já havia sido apontada por Boswood (1971).

(20) ka-oʹke   piku-ʹʈa   ʹni   **Ø-pi-Ø-ʃa-ʹka**
1SG-esposa anta-SIM carne   3C-NPAS.TR-3OBJ.SG-cozinhar-CONT
'minha esposa está cozinhando carne de boi'

(21) ikiaha-ʹka   ʹʃa   **tʃi-pi-Ø-ʹwə-naha**

vocês-F.PL   INTER   2C-NPAS.TR-3OBJ.SG-esquartejar-PL
'vocês vão esquartejá-lo (queixada)?

(b) intransitivas
(22) kaʹɾe   ikiʹʈa   **Ø-mi-ɾikʃi-ʹʈo**
mais tarde   eu (F)   1C-NPAS.TR/INTR-voltar-ITER
'mais tarde eu (F) volto novamente'

(23) ikiʹa   ʹʃa   **tʃi-mi-puʹkaɾa-ka**
você   INTER   2C-NPAS.TR/INTR-chorar-CONT
'você está chorando?'

(24) ka-baʹɾe   **Ø-mi-dəhə-ʹkə**
1SG-perto de   3C-NPAS.TR/INTR-sentar-CONT
'ele está sentado perto de mim'

(25) iʈiaʹha   ʹbo   **Ø-mi-wa-ʹkak-na**
cima   para   3C-NPAS.TR/INTR-caçar/sair para o mato-CONT-PL
'eles estão indo caçar para cima'

Ressaltamos que no tempo não-passado a 1ª pessoa do singular e a 3ª pessoa dos verbos transitivos e intransitivos são ambas codificadas por um único morfema, Ø-.

Exemplos:
(26) ikiʹʈa   **Ø-mi-ʹʈomo-ko**
eu (F)   1C-NPAS.TR/INTR-chegar-CONT
'eu (F) estou chegando'

(27) ka-ʃiʹte   **Ø-pi-Ø-ʹpopo-Ø**
1SG-filha   1C-NPAS.TR-3OBJ.SG-rachar- PROSP
'minha filha vai rachá-la (lenha)'

(28) ∅-mɨ-'ɾomo-ko-naha
      1C-NPAS.TR/INTR-chegar-CONT-PL
      'eles/elas estão chegando'

Outra particularidade do Rikbáktsa é que a segunda pessoa do singular, a segunda do plural e a primeira do plural são homônimas e codificadas pelo morfema **tʃi-** ∞ **tʃik-**,[7] independentemente da transitividade do verbo.

Exemplos:
(29) paɾa'hei   'ʃa   **tʃi-∅-∅-**'boɾo
      queixada   INTER   2A-PAS.TR-3OBJ.SG-comer
      'você comeu queixada?'

(30) ka'tʃa   **tʃi-**mɨ-ɾomo-'ko-naha
      nós   1C-NPAS.TR/INTR-chegar-CONT-PL
      'nós estamos chegando'

(31) ikiaha-'tʃa   'ʃa   aha-'paɾaka   **tʃi-**∅-bi-'ki-naha[8]
      você-PL   INTER   2PL-arco   2C-3OBJ.SG-fazer-CONT-PL
      'vocês estão fazendo arco de vocês?'

Prefixos pessoais nos verbos intransitivos e transitivos (flexionados para o tempo passado)

No tempo passado, os sujeitos dos verbos intransitivos são codificados pelos prefixos da subsérie IIB (subsérie nominativa). Os verbos transitivos também marcam o sujeito com esta subsérie quando o objeto é de primeira ou de terceira pessoa do plural, ao passo que quando o objeto é singular ou de segunda pessoa do plural, o sujeito é marcado pelos prefixos da subsérie IIA (sub-série ergativa). Neste tempo, os verbos transitivos e os verbos intransitivos recebem a mesma marca de tempo, **∅-**.

---

[7] Os alofones são condicionados pelo tempo.
[8] Note-se neste dado que o prefixo de tempo/transitividade é omitido, pois no dado (a) abaixo, com o mesmo verbo, ele está presente. Há, entretanto, outros dados em que ele pode ser omitido, como evidenciado em (b):
(a) a-'paɾakə   tʃi-pi-∅-bi-'ki-   (b) ba'to 'wak
2SG-arco   2C-NPAS.TR-3OBJ.fazer-CONT   não caçar/sair.para o mato
'você está fazendo seu arco'   'eu não vou caçar' ou ' eu não vou sair para o mato'

Exemplos de predicados no tempo passado:

(a) intransitivas
(32) ik-∅-oɾoba-ˈka
1B-PAS-dormir-CONT
'eu estava dormindo'

(33) ikiˈa   tʃik-∅-ˈnaɾaha
você 2B-PAS.TR/INTR-cair
'você caiu?'

(34) Luci   Juína ˈbo   ônibus eˈɾe   ni-∅-ˈpaɾak
Luci   Juína para   ônibus em   3B-PAS-ir
'Luci foi para Juína no ônibus'

(35) mĩwa-ˈɾe   tʃik-na-∅-toho-ˈkok-naha   ˈtə
escuro-SUBOR   2B-?-PAS-ir (mais de um)-CONT-PL   ?
'quando estava escuro, nós estávamos indo'

(b) transitivas
(36) buˈa   tʃaˈpo   i-∅-∅-wo.wo-ˈba
macaco prego   dente   1A-PAS-3OBJ.SG-furar.RED-COMPL
'eu furei dente de macaco prego (para fazer artesanato)'

(37) ˈʃa-tʃa   ik-∅-ʃi-ˈpapa-ka
bicho-PL   1B-PAS-3OBJ.PL-flechar-CONT
'eu estava flechando os bichos'

(38) ikiˈa   ikiˈɾa   tʃ-∅-ik-ˈpeto-hik
você   eu (F)   2A-PAS-1OBJ.SG-empurrar-PONT
'você me empurrou'

(39) ikiˈa   tʃik-∅-mi-ˈpeto-hik
você   2B-PAS-1OBJ.PL-empurrar-PONT
'você nos empurrou'

(40) ɾ-∅-a-ha-ˈpeɾi-kɨ   (BOSWOOD, 1978, p. 53, com glosas
                                    acrescentadas por mim)
3A-PAS-2OBJ-PL-esperar-CONT
'ele estava esperando vocês'

(41)   **ni-Ø-mi**-ʃopoˈkak
       3B-PAS-1OBJ.PL-bater timbó
       'ele nos ensinou a bater timbó'

(42)   kaˈtʃa   **tʃ-Ø-a-ha**-tʃuməihĩ-ˈki-naha
       nós   1A-PAS-2OBJ-PL-ajudar-CONT-PL
       'nós estávamos ajudando vocês'

(43)   bua-ˈtʃa   **tʃik-Ø-ʃ**-edə.dək-ˈba-naha
       macaco prego-PL   1B-PAS-3OBJ.PL-cortar.RED-COMPL-PL
       'nós cortamos todos os macacos prego (depois de mortos)'

Considerações finais

Neste trabalho, procuramos apresentar algumas observações preliminares sobre o sistema pronominal da língua Rikbáktsa, relativas à organização interna desse sistema e considerando princípios que ordenam sua distribuição. Mostramos ainda que a língua Rikbáktsa distingue nomes e posposições dos verbos também por meio de prefixos pessoais e que existe uma cisão dos prefixos pessoais que se combinam com verbos, motivada por tempo verbal associado a número e pessoa do objeto, transitividade e função argumental.

Todas essas características do sistema pronominal Rikbáktsa apontam para a singularidade e a complexidade desse sistema, cujos dados se revelam importantes para a discussão sobre ergatividade nas línguas indígenas brasileiras.

Referências

ANDERSON, Stephen R. Inflectional morphology. In: SHOPEN, Timothy (Org.). *Language tipology and syntatic description.* Vol. III, Cambridge: Cambridge University Press, 1985.

ARRUDA, Rinaldo Sérgio Vieira. *Os Rikbáktsa*: mudança e tradição. Tese de Doutorado. Pontifícia Universidade Católica de São Paulo, São Paulo, 1992.

BOSWOOD, Joan. *Phonology and morphology of Rikbaktsa and a tentative comparison with languages of the Tupi and Jê families.* Dissertação de Mestrado. Reading: Reading University, 1971.

_____. Evidências para a inclusão do Aripaktsa no filo Macro-Jê. *Série Lingüística,* n.1, Summer Institute of Linguistics, Brasília, 1973.
_____. Algumas funções de participantes nas orações Rikbáktsa. *Série Lingüística,* n.3, Summer Institute of Linguistics, Brasília, 1974.
_____. Citações no discurso narrativo da língua Rikbáktsa. *Série Lingüística,* n.3, Summer Institute of Linguistics, Brasília, 1974.
_____. *Quer falar a língua dos canoeiros? Rikbáktsa em 26 lições.* Publicação do Summer Institute of Linguistics, Brasília, 1978.

COMRIE, Bernard. *Aspect.* Cambridge: Cambridge University Press, 1976.
_____. Ergativity. In: LEHMANN, W.P. (Ed.). *Syntatic typology.* Austin: University of Texas Press, 1978.
_____. *Tense.* Cambridge: Cambridge University Press, 1985.

DORNSTAUDER, João Evangelista. Como pacifiquei os Rikbáktsa. *Pesquisas,* n. 17, São Leopoldo: Rio Grande do Sul, 1975.

DOURADO, Luciana. *Aspectos morfossintáticos da língua Panará.* Tese de Doutorado. Universidade Estadual de Campinas, Campinas, 2001.

LUNKES, Odilo Pedro. *Estudo Fonológico da Língua Rikbáktsa.* Dissertação de Mestrado. Universidade de Brasília, Brasília, 1967.

PIKE, Kenneth. *Phonemics a technique for reducing languages to writing.* Ann Arbor: The University of Michigan Press, 1947.

RODRIGUES, Aryon D. *Línguas brasileiras. Para o conhecimento das línguas indígenas.* São Paulo: Loyola, 1986.
_____. Morfologia do verbo Tupi. *Letras,* v. 1, p. 121-152. Curitiba, 1953.
_____. Macro-Jê. In: DIXON, R. M. W; AIKENVALD, A. Y. *The amazonian languages.* Cambridge: Cambridge University Press, 1999.

TREMAINE, Sheila. *Livro de apoio na língua Rikbáktsa.* V. 2 e 3, Sociedade Internacional de Lingüística, Cuiabá, 2000.

WISEMANN, Ursula. The pronominal systems of some Jê and Macro-Jê languages. In: WISEMANN, Ursula (Ed.). *Pronominal systems.* Tübingen: Gunther Narr Verlag, 1986. p. 359-380.

Os heróis civilizadores na cosmologia Akwen-Xerente

Edward Mantoanelli Luz (PPGAS – Universidade de Brasília)

Introdução

Este ensaio tem por objetivo analisar aspectos pontuais dos relatos mitológicos referente aos seus dois heróis civilizadores e sua potencial importância na conformação de determinados aspectos da sociedade Xerente.

Com base na descrição etnográfica de Curt Nimuendajú (1942) e em dados preliminares de minha pesquisa de campo realizada entre os anos de 1997 a 2003, intenta-se aqui uma primeira apreciação desse traço cultural Xerente. Para a melhor apreciação dos dados etnográficos, estes foram analisados à luz da proposta teórica de Peter Berger e Mircea Eliade.

Justificativa

Além dos registros históricos de viajantes e naturalistas, o grupo tem sua cultura registrada e parcialmente analisada em três momentos do século XX: com Curt Nimuendajú na década de 1930, com David Maybury-Lewis na década de 1950 e 1960 e nas últimas duas décadas, acadêmicos "mestrandos" sucederam-se no estudo da história, língua e cultura do grupo. Mesmo com todas as dissertações de mestrado a obra de Nimuendajú *"The Sherente"* (1942) ainda é de longe a mais importante, rica e detalhada descrição etnográfica sobre o grupo.

Contudo, com a exceção de Lévi-Strauss (1971), nenhum outro autor deteve-se na descrição e análise rigorosa da mitologia Akwen–Xerente. Diversos fatores[1] contribuem para a inacessibilidade do seu estudo, mas não

---

[1] Tais como a barreira lingüística, o alto nível de conhecimento lingüístico exigido para a análise dos relatos mitológicos, ou mesmo a relativa facilidade de abordagem de outros temas mais acessíveis e/ou mais urgentes, tais como as ameaças de desintegração social diante do avanço crescente da sociedade nacional.
Essa visualização panorâmica dos estudos monográficos da sociedade Xerente levanta a pergunta sobre a qualidade da reflexão antropológica realizada no Brasil. Como classificar

justificam tamanha lacuna, pois como argumentaremos aqui, o *corpus* mitológico Xerente é um dos esteios da vida social do grupo. Cabe ainda ressaltar que dentre os mitos Xerente analisados por Lévi-Strauss, oito ao todo, nenhum deles se referia às divindades astrais, sol e lua como é o caso dos mitos analisados aqui.

Justifica-se portanto o ensaio por ser esse o primeiro, após um intervalo de três décadas, a retomar o estudo criterioso da cosmologia e religiosidade Xerente, tema absolutamente central nessa sociedade Jê. Esta justificativa pretende também conscientizar o leitor do caráter introdutório das análises apresentadas.

Aspectos históricos

Os Xerente, autodenominados *Akwen*, pertencem ao ramo central das sociedades de língua Jê. O nome Xerente lhes foi atribuído pelos colonos, visando sua diferenciação dos demais Akwen,[2] particularmente, em relação aos Xavante. Os Xerente e os Xavante falam dialetos de uma mesma língua, que pertence à família Jê. O povo Xerente é herdeiro de uma conturbada e conflituosa história de mais de duzentos anos de contato, e atualmente é formado por uma população de 3.250 pessoas, distribuída em 35 aldeias, espalhadas em duas terras indígenas.

Na última década, a sociedade Xerente enfrentou forte pressão territorial e política da sociedade envolvente com a criação do Estado do Tocantins, a construção da capital, Palmas, a 74 quilômetros da reserva indígena e a crescente ameaça dos grandes projetos desenvolvimentistas, que circundam a área em todos os seus limites.

Argumentação teórica

Para Mircea Eliade, os heróis civilizadores são um dos esteios da cosmologia de um povo conferindo a este os modelos paradigmáticos de conduta.

---

a reflexão etnográfica brasileira que há mais de três décadas desconsidera a riqueza ímpar do sistema mitológico de um povo Jê, que exerceu lugar central na elaboração do estruturalismo lévistraussiano? Penso que uma pista para se compreender as deficiências da produção etnográfica nacional, encontra-se nas limitações temporais e financeiras a que estão submetidos os pesquisadores, e nas fortes pressões da academia em alguns casos mais interessada na reprodução do próprio *status* e do sistema, do que na compreensão efetiva das sociedades que estuda.

[2] Tomamos tais designações por sinônimas, e para a designação do grupo, serão utilizados alternadamente os termos *Akwen*, *Xerente*, e por vezes Akwen-Xerente.

Não há cosmologia sem heróis, ou seja personagens divinos ou humanos que por suas atividades primeiras, civilizam o mundo, estabelecem seu funcionamento, torna-o habitável aos humanos.[3]

Também para Peter Berger, eles são a personificação do paradigma social preconizado pela sociedade e sacralizado pelo espírito religioso que a tudo enverniza e perpetua. Sua estrutura analítica evidencia o importante papel desses personagens nas crenças religiosas que por sua vez são os elementos legitimadores das instituições sociais das quais dependem o empreendimento humano da construção da realidade.[4]

Portanto, a compreensão do sistema cosmológico de uma sociedade depende da investigação e compreensão desses personagens.

A hipótese geral aqui sustentada, é de que os mitos Xerente referente aos seus heróis civilizadores enunciam acontecimentos que tiveram lugar *in illo tempore*, e constitui, por isso, um precedente exemplar para todas as ações e "situações" que, depois, repetirão este acontecimento. Na sociedade Xerente todo ritual ou ação dotada de sentido sociológico repete o arquétipo mítico legado por seus heróis.

Seguindo essa linha interpretativa proposta por Eliade, analisaremos quatro relatos mitológicos diretamente relacionados aos seus heróis fundadores procurando nestes elementos mitológicos de especial interesse para a compreensão sociológica dessa sociedade.

Quando Waptokwá e Wahi andavam sobre a terra

"Quando Waptokwá e Wahi andavam sobre a terra..." ou "um dia quando Waptokwá e Wahi estiveram entre nós, há muito, muito tempo..."; essas são as fórmulas padronizadas de abertura de muitos dos relatos mitológicos que narram os atos dos heróis fundadores da sociedade Akwen.

Esse tradicional e padronizado prólogo dos mitos Xerente, referente às aventuras de seus heróis, encerra três elementos centrais da mitologia Xerente: *os atores, as ações e a temporalidade,* ou seja a descontinuidade temporal entre o *in illo tempore* e a realidade profana do presente. Elementos sobre os quais nos deteremos agora.

Dois são os personagens centrais: o sol (*waptokwá*: literalmente *nosso progenitor, nosso criador*) e a lua (*wahi*) são os heróis civilizadores, as divindades maiores entre os Xerente.

---

[3] Eliade, 2002, p. 339.
[4] Berger, 1985, p. 73–74.

Robert Lowie, em seu texto no *Handbook of South American Indian*, revela como os heróis míticos sol e lua são vistos de forma relativamente similar entre os povos Jê, variando apenas as ênfases em relação aos feitos pessoais de um ou outro personagem.[5]

Diferente de alguns sistemas mitológicos, em que a lua, é mulher, entre os povos Jê, com poucas exceções, ambos são personagens masculinos, companheiros de viagens e de aventuras, geralmente não aparentados e não mantêm outra relação senão a amizade. Esse é o caso Xerente, com o acréscimo da designação recíproca de cunhado (*i-zakmõ*), muito embora não seja resultado de qualquer relação de afinidade entre ambos, (*nem o sol é casado com a irmã da lua, nem o oposto*). Tal designação de parentesco justifica as atitudes jocosas e maliciosas típicas do relacionamento padrão entre estes parentes afins conhecidos pela sua hostilidade.

A influência cristã na origem dos mitos

Um século de catequese por frades capuchinhos e meio século de trabalho missionário protestante, não apagaram as crenças Xerente em suas deidades. Não apagaram porque nunca pretenderam apagar. Pelo contrário, a literatura etnográfica prova que procedeu-se uma contínua e generalizada troca simbólica entre as partes.

Dessa forma, *Waptokwá* é irremediavelmente vinculado a Deus ou a Cristo, conforme o relato, seja pelas semelhanças intrínsecas entre os personagens, seja pelo uso corrente do termo por católicos e protestantes para assim designar a divindade em sua pregação. *Wahi* ainda padece de um consenso. Há assim por dizer, uma indefinição teológica, para *Wahi*, posto que alguns defendem ser este satanás, outros que defendem ser São Pedro, cujo temperamento e conduta seria mais apropriado de *Wahi*. Nesse jogo de traduções simbólicas, até o Papa fora classificado, sendo identificado, como um demônio negro (*romshiwamnari*), que escondido atrás de uma moita, ataca as almas a caminho da aldeia dos mortos.

Segundo a concepção tradicional Xerente, *Waptokwá* é superior ao seu companheiro, sendo descrito como sábio, equilibrado e por vezes idealista, planejando e desejando sempre o mundo ideal, infinitamente melhor e superior ao estado degradado em que se encontra. *Wahi*, é descrito como esperto, lascivo e ladino, contudo ambos vivem pregando peças maliciosas ao seu companheiro, sempre retribuídas à altura.

---

[5] Contudo Lowie revela que diferente dos outros povos Jê do Brasil Central (*Canela, Krahô, Apinajé*) a atitude religiosa Xerente para as duas deidades principais é radicalmente diferente desses outros povos, quando se trata da possibilidade de contato presente, como as deidades, já que entre os Xerente, esta possibilidade é inexistente.

Outro elemento central nos relatos mitológicos Xerente é o distanciamento temporal das divindades fundadoras. *Waptokwá* e *Wahi* fizeram tudo em um passado longínquo, *in illo tempore*, e há muito distanciaram-se dos homens e jamais retornaram à terra, mas, como se verá adiante, há expectativas de intervenções divinas na realidade terreal.

Desde que deixaram a terra, nem *waptokwá*, nem *wahi* aparecem aos videntes e profetas, quer em sonhos, quer em visões durante o transe xamânico. Conforme a crença tradicional Xerente estes mediadores entre os homens e as divindades recebem instruções, poder de cura e outros benefícios de outras deidades astrais, ora com responsabilidades delegadas pelas duas grandes divindades, ora agindo por sua própria vontade e responsabilidade.

Os seres intermediários solares são Vênus (*wasi-topré-zaured*), Júpiter (*wasi-topré-ri'e*), as estrelas do cinturão de Órion (*Sdaikwasá*), e Kappa Orionis (*Asaré*).O porta-voz oficial lunar é Marte (*wasi prazé*, ou *wasi-topre-pen*), que por vezes personificado na figura de um demônio noturno *hâpãrê*. Outros emissários são as sete estrelas (*sruru*) e os urubus, considerados seres celestiais, pertencentes à lua. Tais revelações não podem ser induzidas por qualquer ritual, uma vez que são reveladas ao bel-prazer das deidades.

Waptokwá e *Wahi* tampouco interferem no desenrolar da história ou em seu caminho tortuoso. O que não significa que não o farão um dia. Nimuendajú julga serem os Xerente tendenciosos a temer cataclismas e eventos catastróficos ensejados por *Waptokwá*. Por diversas vezes, o sol dispôs-se para destruir o mundo, por causa da maldade humana, mas misericordioso, sempre mandava seus emissários com instruções exatas de como deveriam clamar com cânticos e pajelança para impedir que um eclipse solar, ocasionador da "noite fria", estende-se para sempre, extinguindo toda forma de vida da terra.[6]

Os relatos mitológicos dos heróis civilizadores

As histórias nas quais protagonizam *Waptokwá e Wahi* parecem querer explicar porque o mundo é assim e não de outro modo. Por que a vida é assim e não perfeita conforme o esboço original?

---

[6] Relata este autor que os Xerente têm a tendência cultural de entregar-se à crença em cataclismas. Quando da passagem do cometa, Halley em 1910, supunham que este destruiria o mundo em chamas; interpretaram uma enchente do Tocantins em 1926 como uma repetição do dilúvio mítico de tempos imemoriais, do qual só um casal escapou. Segundo Nimuendajú sempre vêem qualquer eclipse solar como o começo inevitável da "longa noite fria" durante a qual demônios canibais (*romshiwmnari*) destruirão a humanidade.

Muito embora só *Waptokwá* receba a designação de criador, de acordo com os relatos míticos, *Wahi* exerceu especial importância, ao modificar, seja por sua astúcia, seja por sua estupidez, os planos originais do criador.

Nimuendajú afirma que não há na mitologia do grupo um relato cosmogônico, ou seja um relato da criação do mundo, mas sabe-se que foi *Waptokwá* quem o criou, como também a humanidade. Juntamente com *Wahi*, estes dois seres deram condicionamento da vida humana e dos fenômenos naturais. Há um relato que descreve como aconteceu a separação entre indígenas e os não-indígenas.

Houve mesmo um casal original, dos quais descenderam toda a humanidade. Certo dia estava essa "Eva" a cozer roupas para seus filhos em sua tapera quando *Waptokwá* se aproximou e anunciou sua chegada já bem próximo da casa. Waptokwá veio para ver como ia a terra e o casal que criara. Para espanto destes e principalmente da mulher não tinha cozido roupa para todos. Portanto, ficaram amedrontados com a aparição ameaçadora de *Waptokwá*. O casal e aqueles que tinham roupas, apresentaram-se vestidos, mas na falta de roupas para os outros, o casal pediu para estes que se escondessem na floresta. Esses trataram de correr e se esconder entre as árvores da mata . Como o fizeram tão bem, nem o próprio pai conseguiu achá-los, nem eles encontraram o caminho de volta para casa. E foi assim que surgiram os índios, sempre desnudos e sempre habitantes da floresta.

Como se vê a mente coletiva Xerente, fez e ainda faz uso das narrativas bíblicas e elementos do universo cristão para construir sua visão de mundo. No mito, em momento algum é dito que é proibido comparecer nu perante *Waptokwá*. Tampouco se preocupa em narrar a cena antecedente do pecado original. Contudo, ambas as noções aparecem conjugadas no corpo do mito: *O pecado "original" é comparecer nu perante a divindade*, conclusão certamente resultante do contato com as noções cristãs sobre o respeito e reverência diante dessa divindade.

Outro mito de grande difusão entre os povos Jê é o que apresenta uma justificativa para a suposta "superioridade material dos brancos, em relação aos indígenas". Segue a versão Xerente desse relato.

Foi *Waptokwá* quem originalmente planejou em conceder ao domínio dos *Akwen* os melhores espécimes da sua criação divina. Para isso, certo dia chamou todos os seus filhos, os Akwen, para que eles tivessem o privilégio de experimentar primeiro as suas invenções e criações engenhosas: *o gado, a espingarda, as roupas, a panela de metal, a rede.*

Mas os próprios Xerente, (sábia ou estupidamente não há consenso), em um passado distante, rejeitaram um a um todos estes presentes que Waptokwá lhes oferecia e um a um reafirmou sua preferência àqueles objetos e animais que sempre conformaram o seu universo: *a anta, o arco e a flecha, a nudez*, etc... Mas foi por intervenção astuta de *Wahi* que todos esses objetos/seres foram sorrateiramente concedidos ao homem branco (*ktoanon*), à medida que iam descartando-lhes os indígenas garantindo-lhes a superioridade bélica alegada como justificativa da dominação dos brancos.

Acima de tudo, vale notar muito embora seja a divindade que ofereça os bens, são os indígenas os agentes de sua própria história. São eles que para sua fortuna ou desgraça, rejeitaram as ofertas de *Waptokwá* e preferiram os elementos que sempre lhes foram próprios. Nesse caso não é a divindade, mas sim os antepassados dos indígenas que tomam a decisão, sendo eles os responsáveis pela inferioridade material das futuras gerações indígenas.

Em outro relato *Waptokwá* e *Wahi* discutem sobre como deveria ser o ciclo de vida e morte humana sobre a terra.

Depois de muito refletir, *Waptokwá* decidiu que após morrer o ser humano renasceria como da primeira vez que veio ao mundo, e seria reconhecido pelos seus parentes como sendo aquele que partiu. Dessa forma todas as gerações seriam sempre contemporâneas e felizes.

Para comunicar seu plano a seu companheiro, *Waptokwá* atira uma tala da palma de buriti nas águas tranqüilas de um igarapé, e enquanto observavam a tala que imergia e emergia, inúmeras vezes, *Waptokwá* afirma:

– Viste? Assim também será a vida humana: morre, volta-se à vida, morre e volta a viver, assim, sempre assim, sem fim.

Wahi, contudo não aprova o projeto idealista de seu companheiro, e alegou que se assim fosse, dentro de pouco tempo a terra não suportaria o crescimento da população humana, não produzindo alimento suficiente, e cedo ou tarde, para sobreviver muitos humanos retrocederiam à prática canibalística, deixando de agir como é próprio aos homens e descambariam para um nível sub-humano, animalesco.

Wahi então lança uma pedra ao mesmo córrego, e enquanto esta afundava de vez, *Wahi* profere sua sentença:

– Assim será a vida humana, vive-se uma só vez, morre-se uma só vez, e não se volta mais a viver.

Waptokwá viu-se obrigado a aceitar a proposta de seu companheiro diante de argumentos tão convincentes, e assim se fez, e assim é até hoje: vive-se, morre-se e não mais se vive novamente.

A proposta reencarnacionista original distancia-se do modelo tradicional hindu ou espírita, pois trata-se antes de uma ressurreição e renascimento da pessoa, com a mesma personalidade, com as mesmas feições e com o mesmo corpo que sempre lhe pertenceu.

Tal mito torna-se praticamente interessante na medida em que pode elucidar aspectos da sucessão geracional Xerente atual. A proposta original é interessante não somente pela proposta de vidas infinitas,[7] mas também possibilidade de coexistência entre as gerações. Note-se que a proposta original prevê a possibilidade de inversão dos pólos geracionais por meio da morte e renascimento. Dessa forma, a geração de velhos que morre, renasce na geração de infantes seguintes, o que ocasionaria a alternação entre classes de idade.

Creio que esse relato pode jogar uma luz na compreensão da visualização do complexo sistema de classes de idade Xerente, e mesmo na transmissão dos nomes Xerente, propondo a análise das gerações Xerente como uma eterna repetição de um conjunto limitado de papéis e temperamentos individuais, sintetizados pelos nomes masculinos Xerente. Estes devem ser repassados com a alternação de uma geração, ou seja do avô paterno (PP, IPP) para os netos da linhagem patrilinear (FF, FIF, FFF). O mito pode sugerir que as gerações posteriores sejam a reencarnação das gerações anteriores.

Evidentemente não há espaço suficiente nesse ensaio para provar a validade dessa hipótese, contudo deve-se reconhecer que é uma hipótese potencialmente útil para se compreender a visão do ciclo de transmissão dos papéis sociais na sociedade Xerente.

A influência cosmológica na estrutura social Akwen

Da forma como foi descrita por Nimuendajú e Maybury-Lewis, e conforme observa-se ainda hoje, a sociedade Xerente estrutura-se em torno de duas metades exogâmicas atualmente designadas por *dói-ptedekwá* e *wahirê-ptedekwá*. Cada uma dessas metades possui três clãs que regulam o casamento pela regra da exogamia. Pertencem à metade *wahi*rê os clãs *wahirê, krozaké, e kreprenhi*. Pertencem a metade *dói,* os clãs: *kuzê, kbazi* e *kritó*. As linhagens são patrilineares, contudo a regra de residência pós-marital é uxorilocal. Além das metades exogâmicas operam como forças paralelas na sociedade Xerente, quatro classes de idade masculinas e duas metades esportivas (*htamhã* e *steromkwá*) com funções estritamente cerimoniais.

Em meio a um acalorado debate com Lévi-Strauss, Maybury-Lewis sustenta que o dualismo Jê passa pela formulação de uma teoria cósmica dualista, com profundos efeitos na vida cotidiana dos índios. Retoma assim a formulação de Nimuendajú, que já atribuía ao dualismo patrilinear um caráter cósmico.[8] Avançando sobre essa formulação teórica do autor, creio ser possível

---

[7] Note-se que a proposta original não fala de vida eterna, nem da ausência da morte. A morte é uma realidade concreta, uma contingência da condição humana, da qual não se pode fugir nem mesmo no plano ideal.

[8] Maybury-Lewis, 1986, p. 125; 1989, p. 109.

identificar uma vinculação direta dessa teoria cósmica na conformação das instituições específicas da sociedade.

Para exemplificar essa hipótese, apresento de forma resumida, o mito que relata como surgiram as classes de idade Xerente.

Certa vez, esfomeados e preguiçosos, *Waptokwá* e *Wahi* entraram quatro vezes numa mesma aldeia para receberem cestos cheios de formigas comestíveis, (*iça*). Portando diferentes motivos de pinturas corporais para não serem reconhecidos, os heróis ganharam a iguaria, e os Xerente, desde então, os motivos que identificam as quatro classes de idade Xerente, a saber:

krará => *akemhã* => *amnorõwá*=> *krieriekumã*.

Os motivos das pinturas corporais que indicam o pertencimento às metades exogâmicas, bem como o pertencimento às classes de idade, e as metades cerimoniais são diretamente vinculadas com relatos mitológicos que narram o surgimento dessas instituições.

Waptokwá e *Wahi* não são diretamente identificados como patronos dos clãs Xerente, mas é possível estabelecer uma estreita relação entre ambos (o sol e a lua) e os motivos de pinturas corporais clânicas. Os círculos da pintura dos *Dói*, lembram a esfera solar de *B'de,* enquanto os traços característicos dos *Wahirê*, lembram o traço formado pela lua minguante no céu.

Tal como os motivos pictóricos das classes de idade, foram extraídos dos heróis civilizadores, assim também parte dos rituais foram modelados e estabelecidos por eles. Por meio de seus emissários astrais, ora o sol, ora a lua, estabeleciam os padrões do ritual, ditavam as letras, ensinavam as músicas e as danças a serem executadas.

Considerações finais

Os mitos aqui relatados abrem *precedentes, ou seja* exemplos, não só em relação as ações – sagradas ou profanas–humanas, mas também em relação à sua própria condição. Ou melhor: um precedente para todos os modos do real. "Assim fizeram os heróis divinos, assim devem agir os homens". Afirmações deste tipo traduzem perfeitamente o posicionamento Xerente, em face dos relatos mitológicos de seus heróis civilizadores.

Uma análise, ainda que prévia dos mitos de *Waptokwá* e *Wahi*, revela a polaridade de duas personalidades divinas, ou seja, sua ambigüidade peculiar, com sua alternância de traços benévolos e terríveis, criadores e destruidores, solares e lunares, reveladores e sombrios. Essa consciência da ambigüidade coexistente é um meio pelo qual os Akwen expressam o paradoxo da realidade divina. Muito próximo da lógica judaico–cristã, e não se sabe até onde influenciado por esta, a razão mitológica por trás do iracundo *Waptokwá*, repousa sobre a premissa de que este, tendo estabelecido sua obra-padrão, se vê no direito de cobrar juízo e mordomia de seus interventores terrenos de como se portaram durante sua vida.

Em suma, *Waptokwá* e *Wahi* são os arquitetos da sociedade Xerente. Por suas ações e palavras estabeleceram as regras e instituições, fornecendo os subsídios teóricos para a formulação dualista dessa sociedade. Os rituais Xerente são os momentos privilegiados em que as divindades são relembradas e é na execução das cerimônias que estes atos são revividos, recriados.

É com essa premissa básica em mente que devem ser analisados outros aspectos da religiosidade Xerente. Mas não só de heróis civilizadores é constituída a cosmologia desse grupo. Há também todas as crenças sobre o universo imaterial envolvendo as concepções de alma, partida da alma após a morte, do porvir e uma miríade de seres espirituais. A cosmologia Xerente representa hoje todo um universo intocado pela reflexão antropológica atual, esperando alargar as fronteiras da antropologia indigenista brasileira.

Referências

BERGER, Peter L. *O dossel sagrado*: elementos para uma teoria sociológica da religião. São Paulo: Paulus, 1985

ELIADE, Mircea. *O sagrado e o profano. A essência das religiões*. Lisboa: Edições 70, 1982.

──────. *Tratado de história das religiões*. São Paulo: Martins Fontes, 2002.

FARIAS, Agenor. *Fluxos sociais Xerente*: organização social e dinâmica das relações entre aldeias. Dissertação de Mestrado, FFLCH/USP, São Paulo, 1990.

KRIEGER, Wanda Braidotti; CARLOS, Guenther. *Dicionário escolar Xerente–Português/Português–Xerente*. Rio de Janeiro: Junta de Missões Nacionais da Convenção Batista Brasileira, 1994.

LÉVI-STRAUSS, Claude. As estruturas sociais no Brasil Central. Antropologia Estrutural. Rio de Janeiro: *Tempo Brasileiro*, p. 141-153, 1974.

──────. *Le Cru et le Cuit. Mytologiques*. Paris: Plon, 1971.

LOWIE, Robert. The Northwestern and Central Gê. In: STEWARD, J. (Ed.). *Handbook of South American Indians*, v. 1. Washington: Smithsonian Institution, p. 477-517, 1946.

MAYBURY-LEWIS, David. The analysis of dual organizations: a methodological critique. *Bijdragen tot de Taal-, Land en Volkerkunde*, 116. 1960.

NIMUENDAJÚ, Curt. *The Sherente* (transl. by Robert H. Lowie). Los Angeles: Southwest Museum (Frederick Webb Hodge Fund, Publication Volume IV), 106 p. 1942.

Através do léxico Macro-Jê:
em busca de cognatos

Aryon Dall'Igna Rodrigues (IL, Lali-UnB)
Ana Suelly Arruda Câmara Cabral (IL, Lali-UnB)

A hipótese da origem comum de todas as famílias lingüísticas reunidas sob o rótulo *Macro-Jê* ainda está longe de uma comprovação cabal. Embora esse rótulo tenha sido criado há já mais de cinqüenta anos ("Macro-Jê cluster", MASON, 1950), no mesmo sentido com que Loukotka alguns anos antes – mas sem conhecimento de Mason – havia proposto o termo *tronco Tapuya-Jê* ("Tapuya-Jê-Sprachstamm", LOUKOTKA, 1942), a consolidação da hipótese ou de partes dela tem sido dificultada pela falta de documentação das línguas envolvidas. Para várias línguas a documentação melhorou consideravelmente nos últimos anos, mas ainda deixa muito a desejar para grande parte delas. De algumas famílias já se extinguiram todas as línguas, de modo que não é mais possível acrescentar nada para seu melhor conhecimento. A deficiência mais sentida para o estudo comparativo é a de boas coleções lexicais. Propriedades gramaticais comuns a algumas famílias foram apontadas recentemente (marcador de posse alienável, RODRIGUES, 1992; prefixos relacionais, RODRIGUES, 2000). Em Rodrigues, 1986 já havia sido mostrada a semelhança fonológica entre as marcas de pessoa (p. 55) e a regularidade fonológica entre alguns elementos do vocabulário (p. 50 segs.) nas 12 famílias ali consideradas. Rodrigues 1999 foi o primeiro levantamento geral de características tipológicas dessas 12 famílias propostas como integrantes do tronco Macro-Jê. Como apêndice a esse trabalho foi apresentado um pequeno conjunto de palavras comuns às diversas famílias, com correspondências fonológicas regulares (p. 198-201). Elementos lexicais comuns a Jê, Maxakalí e Karajá foram objeto de estudo de Davis em 1968, complementado por Hamp 1969. Boswood (1971) comparou palavras da língua Rikbáktsa com as reconstruções para o Proto-Jê feitas por Davis (1966) e Gudschinsky (1971) comparou com o mesmo Proto-Jê com elementos lexicais do Ofayé. Já muito antes, em 1939, Mansur Guérios havia feito comparações entre o Boróro e as línguas Timbira ("Merrime") e Kayapó da família Jê. Todas essas contribuições foram feitas tendo em vista possível parentesco genético. Embora sob uma ótica diferente, as comparações empreendidas por Loukotka, na década de 1930 também contribuíram para a identificação de cognatos entre as diversas famílias do tronco Macro-Jê (LOUKOTKA, 1931).

Nesta comunicação, apresentamos dados comparativos de um projeto que visa à revisão e coordenação dos resultados de estudos ou observações anteriores, tanto entre famílias particulares quanto sobre o tronco Macro-Jê como um todo, e a uma nova comparação de dados antigos e novos em busca de evidências lexicais.

A seguir apresentamos, como amostra do trabalho que vem sendo realizado, alguns conjuntos de possíveis cognatos propostos com base nas semelhanças de forma fonológica e de significado e buscando identificar regularidade nas correspondências fonéticas. Trinta e nove conjuntos são os mesmos publicados em Rodrigues (1999), enquanto os demais ou são totalmente inéditos, ou incluem subconjuntos já sugeridos por outros autores. As 12 famílias propostas para o tronco Macro-Jê são referidas com a mesma numeração romana utilizada em Rodrigues (1999), mas com especificação das línguas comparadas.[1]

1. 'árvore'/'pau': Ib Ap **pi**, Ti **pĩ**, Ic Xa **bĩ**, Id Kg **pĩ** 'lenha', II **wĩ**, III Mx **mĩm**, V Ko **mem**, VI Ki **hẽ**, IX Of **hɛg**, X Bo **i**, XII Rb **hwi**
2. 'asa': Ib Ap **ʔara,** Id Kg **ɸẽr**, In **lara**, X.Bo **aro** 'penas inferiores da asa', XII. Rb ʃ**ara**
3. 'beber': Ib Ti **kõm**, **kʰõ**, III Mx **tʃoʔop, tʃom,** IV Kr **tʃop**, V Ko **some**, VII Ya **kʰo**, VIII Kj **õ**, X Bo **ku**, XI Gu **ókɨ**, XII Rb **ku**
4. 'braço': Ia Ja **pã**, IbTi **pa**, Pa **i-pá**, Su ɣ**wá**, **hwá**, Ic Xa **pa**, Id Kg **pẽ**, IV Kr **po**, VI Ki **bo**, VII Ya **fe** 'axila', **VIII** Kj de-**bo** 'mão', **IX** Of **pé**, XI Gu **pɔ́**, XII Rb tsi-**pa**
5. 'cabeça': Ia Ja **krã-**, Ib Ti **krã̃**, Su **krã**, Ic Xa **ʔrã**, Xe**krã**, Id Kg **krĩ**, In **krẽj** II Ka **hero**, IV Kr **krɛn**, VIII Kj **ra**, IX Of **kitɛ**, XII Rk **hara-**
6. 'cabelo₁': Ia Ja ʃ**e**, Ib Ap **kɨ**, Ti **kʰĩ**, II Ka **ke**, III Mx **tʃe**, IV Kr **ke**, V Pu **ke**, Co **ge**, Ko i**tʃe**, XI Gu **kɨ**
7. 'cabelo₂': VI Ki **di**, VII Ya **li**, IX Of **yiʔ** XII Rb **-di**

---

[1] Abreviaturas para *famílias* e línguas: I *Jê*: a. Ja(ikó), b. *Jê setentrional*: Ti(mbíra), Ap(inajé), Su(yá), Pa(nará); c. *Jê central:* c1. Xa(vánte), c2. Xe(rénte); d. *Jê meridional:* d1. K(aingán)g, d2. In(gaín); II **Kamakã**: 1. Ka(makã), 2. Me(nien), 3. Ko(toxó); III. **Maxakalí**: 1. M(a)x(akali), 2. Ma(koni), 3. M(a)l(ali); IV. *Krenak*: 1. Kr(enak); V. **Purí**: 1. Krenak; VI. **Kariri**: 1. (Ki)peá; VII. **Yatê**: 1. Ya(tê); VIII. **Karajá**: 1. K(ara)j(á); IX. *Ofayé*: 1. Of(ayé); X. **Boróro**: 1. Bo(róro), 2. Um(utína); XI. **Guató**:
1. Gu(ato); XII. **Rikbáktsa**: 1. R(ik)b(ák).

8. 'cantar/dançar'. Ib Ti ŋrɛ, Ic Xa ʔrẽ, Id Kg ŋrɛn, II Ka gre, III Mx ktɛj, IV Kr ŋri , V Co, Ko ŋgre, VII Ya kʰlæ̀-tʃʰa, VIII Kj θɛ , IX Of kirih, XII Rk kari
9. 'chuva': Ib Ap na, Ti ta, Ic Xá tã, Id Kg ta, II Ka tsʰã, III Mx tɛj, Ma te, V Ko teɨ, VI Ki dzo
10. 'comer' Id Kg rɔŋ 'engolir', VI Ki do, VIII Kj ro 'comer carne', IX Of rõ, XI Gu ro
11. 'costas': VI Ki woro, VIII Kj bɔrɔ, IX Of hor, X Bo pori
12. 'curto' : Id Kg rur, VII Ya lulija , X Bo ro-gu
13. 'dar': Ib Ti ŋõ, Ic Xa tsõ, III Mx hõm, IV Kr -ūp, hum, VII Ya ko, VIII Kj õ, IX Of no
14. 'dente': Id Kg jã, II Ka tʃo, Me jo, III Mx tʃoj, V Pu dʒe, VI Ki dza, VIII Kj dʒu, IX Of ʃɛʔ
15. 'dormir': Ia Ja rjõ, Ib Ti, Su ŋõr, Ic Xa jõdõ (dõ 'estar deitado'), Id Kg nõr, II Ka hondõ, Me jundū, III Mx ɲõn, hõn, ʔõn, VI Ki unu, VIII Kj rõ, IX Of no, noro 'estar sentado', X Bo nudu, XII Rk uru, nũ
16. 'em':   Id Kg ki, VII Ya ke, VIII Kj ki, X Bo gi
17. 'eu': Ib Ti i, Ic Xa ʔi, Id Kg ʔiɲ, III Mx ʔɨk, IV Mx hi, V Ko eĩn, VI Ki hi, VII Ya i, X Bo i, XI Gu i,   XII Rk i(k)-
18. 'fígado': Ib Ti ma, Ic Xa pa, Id Kg tã-mẽ, IV Kr ta-ma-ŋũĩ, VIII Kj ba, IX Of pa, XI Gu pɛ
19. 'flecha': Ic Xa pɔ, Id Kg puɲ, II Ka wãj, III Mx poj, V Co pohoj, Ko pan, VI Ki buj-ku, VIII Kj wɨhɨ, X Bo bëiga 'arco' < *bëj-ika 'flecha-arco'
20. 'folha': Ia Ja arã-tiʃe, II Ka ere, VI Ki ærã, X Bo ari, aro 'folhas miúdas'
21. 'jacaré': IbTi mĩ-ti, II Ka wɛj-e, III Mx mãj, X Bo iwái, wai
22. 'longo': Ib Ti ri, Id Kg rira 'arredar', II Ka roro, IV Kr ron, VIII Kj rɛhɛ, IX Of ra, X Bo raire, XII Rk zeze
23. 'machado': Ib Ti krã-mẽɲ, Id Kg mɛŋ, III Ma ki-pɨk,   IV Kr kra-pok, V Pu kra-maŋ
24. 'mãe': Ia Ja na, Ib Ti nã, Ib Su nã, Ic Xa dã, Id Kg nɨ, III Ml te, ta, V Pu a-ña, VI Ki de, VII Ya sa, VIII Kj na-di, XII Rk je
25. 'mão': X Bo -era, XI Gu ra
26. 'mel': Ib Ti mɛɲ, Id Kg mə̃ŋ, In ma, III Mx paŋ, IV Kr pəŋ, IX Of pɨk, XI Gu pagua, XII Rk mãk-mẽktʃa
27. 'milho': V Pu maki, makɨ, V Co maki, VI Ki masiki, masitʃi, VII Ya máltʃi, VIII Kj maki, XII Rk natʃi
28. 'morro': Id Kg krĩ, II Ka heri, Ms kere, Ko kri, III Mx ɲĩ-ktij
29. 'noite': Ic Xa bãra, II Ka hwera, V Pu meri, IX Of wɛːr
30. 'nós (incl.)': Ib Ti pa-, Ic Xa wa-, V Co pa-ɲike, VIII Kj wa, X Bo pa

31. 'olho': Ib Ti tɔ, Ap nɔ, Ic Xa tɔ, II Ka ki-to, VII Ya tʰo, VII Ka ruɛ
32. 'orelha': VI Ki beɲe, X Bo bia, XI Gu vi
33. 'ouvir': Ib Ti ma, Ic Xa wa-pa, Id Kg mẽ, IV Kr paw, IX Of paj, X Bo meã-ridi
34. 'ovo': Ib Ti ŋrɛ, Pa i-nkré, Ic Xa ʔre, Xe kre, Id Kg krẽ, II Ka sa-kre, III Mx kir, VIII Kj θi, IX Of kitɛ, XI Gu kʰɨ, XII Rb kare
35. 'para' : Ib Ti mã, Ic Xa bã, Id Kg mɔ̃, VII Ya ma, VIII Kj bɔ̃, XII Rk bo
36. 'pé': Ia Ja pɛno, Ib Ti par, Su pari, Ic Xa para, Id Kg pẽn, II Ka wade, III Mx pata, IV Kr pɔ, VI Ki bi, biri, VII Ya fe-he, fet-, VIII Kj wa, IX Of par, X Bo bire, XI Gu àbɔ̀, XII Rk piri
37. 'pedra₁': Ib Ap kẽn, Ti kʰẽn, Ib Su kén, Ic Xa ʔẽdẽ, Xe kdɛ, II Ka kẽa, VI Ki kro, IX Of kɛtɛh, XII Rk hara-hare
38. 'pedra₂': Id Kg pɔ, VII Ya fòwa
39. 'pele/casca': Ib Ti kʌ, Su kɔ, Ic Xa hə, II Ka ka, III Mx tʃaj, kaj, IV Kr kat, VII Ya kʰà-tʃʰa , IX Of ha, X Bo -ka
40. 'pênis/macho': Ib Ti rẽ, VI Ki ræ
41. 'perna': Id Kg ɸa, VI Ki wõ, X Bo po-
42. 'posse': Ib Ti õ, III M õŋ, jõŋ, VI Ki u-, X Bo o
43. 'seco': Ib Ti ŋrə, Ic Xa ʔrɛ, VI Ki kra, X Bo kirewë
44. 'sol': Ib Ti mit, Ic Xá bədə, VI Ki bati 'estrela', VII Ya fetʃa, X Bo meri
45. 'tu': Ib Ti a-, Ic Xá ʔa, Id ʔã, II Ka a, III Mx ʔã, IV Kr a-, VI Ki e, VII Ya a, VIII Kj a, IX Of ɛ, X Bo a, XII Rk a
46. 'vir': Ib Ti tẽ, Ic Xa dẽ, Id Kg fi 'ir', II Ka ni, III Mx nĩn, IV Kr ne, VI Ki te, VII Ya tʃi

Referências

BOSWOOD, J. *Phonology and morphology of Rikbak and a tentative comparison with languages of the Tupi and Jê families*. Reading: Reading University, 1971.

DAVIS, I. Some Macro-Jê relationships. *International Journal of American Linguistics,* v. 34, p. 42-47, 1968.

GUDSCHINSKY, S. C. 'Ofaié-Xavante, a Jê language', p. 1-16 de *Estudos sobre línguas e culturas indígenas*, (Org.). GUDSCHINSKY, S. C. Brasília: SIL, 1971.

HAMP, E. On Maxakalí, Karajá, and Macro-Jê. *International Journal of American Linguistics,* v. 35, p. 268-270, 1969.

MASON, J. A. The languages of South American Indians, p. 157-317. Handbook of South American Indians, vol. VI, (Org.) STEWARD, J. H. *Bureau of American Ethnology, bulletin* 143. Washington, D.C.: Smithsonian Institution, 1950.

LOUKOTKA, C. Klassifikation der südamerikanischen Sprachen. *Zeitschrift für Ethnologie,* v. 74, p. 1-69, 1942.

_____. La familia lingüística Mašakalí. *Revista del Instituto de Etnología de la Universidad Nacional de Tucumán,* n. 2, p. 21-47, 1931.

RODRIGUES, A. D. *Línguas Brasileiras*: para o conhecimento das línguas indígenas. São Paulo: Edições Loyola, 1986.

_____. Macro-Jê, p. 164-206. *The Amazonian Languages,* (Org.) DIXON, R. M. W.; AIKHENVALD, A. Y. Cambridge: Cambridge University Press, 1999.

_____. Flexão relacional no tronco Macro-Jê, p. 219-231. *Boletim da Abralin,* v. 25, (Org.) SOARES, Maria Elias. Fortaleza: Imprensa Universitária/UFC, 2000, 2001.

Este livro foi composto em Times New Roman 11/13,2
no formato 155 x 225 mm e impresso no sistema off-set
sobre papel AP 75 g/m², com capa em papel
Cartão Supremo 250 g/m².